BO EN JESSE

Kom maar op
als je durft!

Dit boek is fictioneel. Namen, personages, plaatsen en gebeurtenissen zijn een product van de fantasie van de auteur, of zijn fictioneel gebruikt. Iedere overeenkomst met ware gebeurtenissen, plaatsen of personen (levend of dood) berust op toeval.

NEDERLANDSE
KINDERJURY
2007

Copyright © 2006 bij Uitgeverij De Eekhoorn BV, Oud-Beijerland

CIP-gegevens Koninklijke Bibliotheek, Den Haag

Platel, Ineke

Bo en Jesse: Kom maar op als je durft! / Ineke Platel
Internet: www.eekhoorn.com
Illustraties: Anky Spoelstra
Omslagontwerp: Bureau Maes & Zeijlstra, Oosterbeek
Vormgeving binnenwerk: Solid-ontwerp.nl

ISBN -10: 90-454-1072-9
ISBN -13: 978-90-454-1072-2
NUR 282

INEKE PLATEL

BO EN JESSE

Kom maar op als je durft!

Omslag en illustraties:
ANKY SPOELSTRA

 De Eekhoorn

Inhoud

Voor Merle

1

Het nieuwe huis

Als de auto stopt kijkt Bo verveeld uit het raam.
'Het is nog mooier dan op de foto,' lacht mama blij.
'Moet je kijken, Bo. Daar boven is jouw kamer.'
Bo mompelt wat onverstaanbaars. Papa kijkt in de spiegel naar zijn boze dochter en schudt zijn hoofd.
'Kom op, Bo, je zult zien hoe leuk het hier is en hoe snel je nieuwe vrienden en vriendinnen hebt.'
Bo slikt haar tranen weg en stapt uit. Ze kijkt naar het huis en moet toegeven dat het er best aardig uit ziet. Maar de tuin lijkt in niets op de grote tuin die ze in Antananarivo hadden.
Bo woonde vanaf haar tweede jaar op Madagaskar, een eiland tussen Midden- en Zuid-Afrika. Haar vader heeft er acht jaar een project geleid, maar sinds vorige maand heeft hij een nieuwe baan in Nederland. Bo is al een paar keer in Nederland geweest. Dat is niet zo vreemd, want haar vader is er geboren. Opa en oma wonen er, net zoals een paar ooms, tantes, neven en nichtjes. Bo vindt Nederland klein, vol, koud, nat en vooral stom.
De moeder van Bo zucht. Die vindt het ook moeilijk om in Nederland te wennen. Papa legt zijn arm om mama's schouders.

'Kom, schat, we zullen het best fijn krijgen hier.'

Als papa de sleutel in het slot steekt, slentert Bo om het huis heen naar de achtertuin. Die is groter dan ze had verwacht. Helemaal achterin de tuin ontdekt ze een dikke beukenboom. Hij staat dicht tegen de heg. Sommige takken hangen in de tuin van de buren.

Bo tuurt langs de stam omhoog en denkt: 'Dat zou Patrique ook een fijne klimboom hebben gevonden.' Bo voelt een scherpe steek in haar borst. Ze mist haar vriendinnen, maar Patrique nog het meest. Hij was haar beste vriend en ze waren dan ook bijna altijd samen. Dan kijkt ze naar de achterdeur, die haar vader lachend openzwaait. Als ze vragend aan komt lopen en binnenstapt, geeft hij haar een duwtje.

'Ga je slaapkamer maar eens bekijken, prinses. Die heeft een prachtig uitzicht.'

Haar slaapkamer heeft openslaande deuren. Bo duwt de deuren open en stapt op het balkon. Ze haalt diep adem en lacht blij. Papa heeft gelijk, het uitzicht op de achtertuin is mooi. Er is een groot grasveld met struiken en bloemen rondom. Bo kijkt naar de grote beuk. De zon schijnt door de takken en bladeren. Dan ziet ze iets vreemds. Het lijkt wel een heel groot nest. Ze kijkt beter en ineens weet ze wat het is.

Bo juicht, holt naar beneden en roept opgewonden dat ze nog even in de achtertuin is.

Ze rent naar de boom. Nieuwsgierig loopt ze eromheen en tuurt tussen de bladeren omhoog. De takken zijn dik en stevig genoeg. Dan bedenkt ze zich niet langer. Bo trekt zich op, slaat haar benen om een laaghangende tak en klimt omhoog. In een wip zit ze halverwege. Takken kraken, bladeren ritselen en een vogel vliegt op.

Hijgend kijkt ze omlaag en mompelt tevreden: 'Mooi, niemand kan me hier zien.' Ze klimt nog een stukje hoger.

Met een zwaai glijdt ze door een opening in de boomhut. Hij zit stevig in elkaar. De zijkanten en het dak zijn van oude planken en op de vloer ligt een stuk gekleurd zeil.

'Mijn eigen geheime schuilhut,' lacht Bo zacht. 'Misschien valt het hier toch wel mee.'

2

De buurjongen

Bo kijkt tussen de bladeren van de oude beukenboom naar beneden. In de tuin van de buren zit een jongen in het gras. Hij borstelt zijn hond. Het dier heeft een oranje-bruine vacht. Bijna dezelfde kleur als het woest krullende haar van de jongen.

Bo grinnikt. De jongen moet de hond stevig vasthouden, want het dier worstelt om los te komen. Ze fluistert: 'Toe dan, toe dan hondje!'

De hond rukt zich los. Hij schudt zich en springt weg. Hij rent rondjes door de tuin en blaft uitgelaten. De jongen gaat staan. Hij is lang en mager. Het valt Bo op hoe bleek hij is. Precies het tegenovergestelde van Patrique.

De jongen roept en fluit naar de hond, die vrolijk om hem heen springt en blaft.

Hij vindt het een leuk spelletje. Bo moet er om lachen. Dan wringt de hond zich door de heg en rent naar de boom waar Bo in zit.

Hij kijkt omhoog, hijgt, jankt en blaft. Bo schrikt en houdt haar adem in. De hond zet zijn poten tegen de stam en blaft steeds harder. Bo kijkt angstig omlaag, bang dat ze ontdekt wordt.

'Kobus! Kobus, kom hier. Je weet dat dat niet mag.'
De hond kijkt even om en blaft nog eens. Dan loopt hij rond de boom en springt tegen de stam.
'Hier Kobus, vooruit, kom hier. Je hebt daar niets te zoeken.'
Het dier kijkt nog eens omhoog en kwispelt. Hij voelt dat er iemand in de boom zit. Bo verroert zich niet.
'Kobus, hierrrr, zeg ik!'
De jongen kijkt boos over de haag, zijn gezicht is vuurrood.
Dan kijkt de hond aarzelend om. De jongen glipt tussen de struiken door in de tuin van de buren en grijpt de hond bij zijn nekvel.
'Hebbes, jij ondeugd. Je mag hier niet komen. Je weet toch ook wel dat opa Chris en oma Kootje verhuisd zijn!'
De jongen kijkt verdrietig naar het huis en krabbelt Kobus achter zijn oor.
'Gek idee dat hier andere mensen komen wonen. Ze komen van een eiland, zegt mama. Heel ver weg. Bij Afrika in de buurt, geloof ik. Ze zijn vast bruin of misschien pikzwart en ze spreken natuurlijk een andere taal. Wat hebben we nou aan zulke buren!'
Hij houdt Kobus stevig vast. Samen wringen ze zich door de heg.
'Ik mag van mama niet meer in de boom. Stom hè, Kobus. Echt superstom!'
De jongen raapt de borstel op, gooit de vlokken haar van zijn hond in de groene afvalbak en verdwijnt in het

huis. Bo kijkt hem na. Opeens voelt ze zich verdrietig en helemaal niet welkom. Wat doet ze hier in Nederland? Ze kent helemaal niemand in dit Brabantse dorp. Niemand om mee te spelen of mee te praten.

Bo laat zich omlaag zakken. Ze is woedend op haar vader en haat zijn nieuwe baan.

3

De kennismaking

De moeder van Jesse heeft de nieuwe buren uitgenodigd. Om ze welkom te heten en kennis met ze te maken. Jesse is best nieuwsgierig. Hij heeft gehoord dat ze een meisje hebben, dat bij hem in de klas komt. Toch voelt hij zich niet echt op zijn gemak. Hij weet niet eens of dat kind hem wel verstaat.

Dan gaat de bel. Zijn moeder springt op en in het voorbijgaan kijkt ze nog even naar Jesse.

'Doe een beetje aardig, hè jochie? Het zal voor dat meisje best moeilijk zijn.'

Jesse haalt zijn schouders op.

'Ik doe gewoon zoals ik ben.'

De nieuwe buurman stapt binnen. Hij heet Fred, is blank en spreekt tot opluchting van Jesse gewoon Nederlands. Buurman schudt iedereen hartelijk de hand. Achter hem staat zijn vrouw. Ze is amper groter dan Jesse en haar huid is bruin, maar niet zo erg. 'Net koffie met room,' denkt Jesse. Haar steile haar is lang en pikzwart.

Naast haar staat een verlegen meisje, dat precies op haar moeder lijkt.

'Zo, en dit is onze dochter Bo,' lacht de nieuwe buurman vrolijk. Hij knipoogt naar Jesse.

Die kijkt onzeker naar het meisje in haar lichtblauwe jurk. Het kind tuurt naar haar schoenen.

''Beau' betekent in het Frans 'mooi', wist je dat?'

Jesse schudt zijn hoofd. Buurman slaat Jesse op zijn schouders en glundert.

'Dan heb je vandaag weer iets nieuws geleerd!'

Jesse knikt beleefd en geeft de buurvrouw een hand.

'Dag mevrouw, ik ben Jesse.'

De mevrouw lacht vriendelijk en drukt zijn hand. Ze zegt iets dat Jesse niet zo goed begrijpt en hij kijkt vragend om.

'Ze vindt het fijn om kennis met je te maken,' vertaalt buurman Fred. 'En ze zegt dat je zo groot bent.'

Jesse knikt en kijkt naar Bo, die dicht tegen haar moeder aangedrukt staat.

'Wat een stomme naam voor zo'n kind,' denkt hij. 'Zó mooi is ze nou ook weer niet!'

Jesse grijnst als hij naar haar schoenen kijkt. Zwarte lakschoentjes met kleine hakken. Hij denkt aan de andere meisjes in zijn klas. Die dragen een spijkerbroek met gympen.

Bo en Jesse staan tegenover elkaar. Ze weten niet goed wat ze moeten doen.

Dan steekt Bo haar hand uit. 'Hai, ik is Bo.'

Jesse lacht onzeker. 'Hoi, ik ben Jesse.'

Hij staart naar de grond en krijgt een kleur. Dan gaan ze naast elkaar op de bank zitten.

Bo luistert naar de grote mensen. Ze praten Engels. Jesse voelt zich dom, want hij begrijpt niet waar ze het over hebben. Kobus snuffelt aan de benen van Bo. Jesse duwt hem weg.

'Hij kan wel eens vals zijn. Vooral als hij je niet kent,' zegt hij kortaf.

Bo haalt haar schouders op. 'Ik is lang niet bang.'

Kobus duwt zijn natte neus tegen haar been. Ze giechelt en krabbelt hem achter zijn oor.

Dat bevalt de hond wel, want hij gaat met een plof aan haar voeten liggen.

Jesse's moeder haalt koffie en cake.

'Schenk jij wat voor jullie in, Jesse?'

Jesse is blij dat hij iets kan doen.

'Wat wil je drinken?' mompelt hij.

'Doe maar djoes,' zegt ze zacht.

'Watte?' vraagt hij verbaasd.

'Jus d'orange,' legt Bo uit.

Jesse aarzelt. 'Ik geloof niet dat we dat hebben. Wel cola of sinas.'

Mama strijkt hem plagend door zijn haar.

'We hebben wel jus d'orange. Het staat in de deur van de koelkast. Wacht, ik help je wel even.'

Jesse loopt mee naar de keuken.

'Weet ik veel wat djoes is,' moppert hij.

Mama lacht. 'Hier, neem jij de glazen mee? Waarom gaan jullie niet iets leuks samen doen?'

Jesse kijkt haar vragend aan. 'Wat nou voor leuks? Dat kind verstaat me maar half. Moet je zien hoe ze eruit ziet. Met zo'n jurk kun je toch niet spelen! En dan die schoenen! Ik zie haar al voetballen of in de boom klimmen.'

Zijn moeder kijkt boos.

'Doe niet zo kinderachtig, Jesse. Misschien wil ze wel een computerspel doen of in de tuin spelen?'

Jesse loopt met de glazen naar de kamer. Voorzichtig zet hij ze op het tafeltje naast Bo.

'Merci,' mompelt ze. Een tikje jaloers kijkt ze naar de cola.

'Ik mag geen cola van mijn moeder. Ze zegt het is niet goed voor je…'

Bo tikt tegen haar tanden. Jesse knikt dat hij haar begrijpt.

'Wil je iets doen?' vraagt hij.

Ze haalt haar schouders op. 'Ik weet niet.'

Jesse kijkt naar Kobus. Dat dier doet net of hij Bo al jaren kent. Zijn kop ligt op haar glimmende schoenen.

'Hij vindt haar aardig,' denkt Jesse. 'Idioot beest, lelijke verrader.'

Jesse kijkt opzij naar zijn nieuwe buurmeisje. Bo's bruine ogen glinsteren als haar vader en moeder praten over Madagaskar. Ze lacht en knikt.

'Wat een witte tanden,' denkt Jesse jaloers.

Bo staat op en gaat naast haar moeder zitten. Kobus loopt haar achterna.

Ze praat in vlot Engels mee met de volwassenen. Jesse kan er maar een paar woorden van verstaan. Zouden ze het soms over hem hebben? Hij let goed op.

17

'Misschien kan ik een paar nieuwe Engelse woorden leren. Kan ik lekker opscheppen op school,' denkt hij.

4

Opschepster

Meester Bram stelt Bo aan de andere kinderen voor. Jesse ziet tot zijn opluchting dat ze gewoon een spijkerbroek en hoge gymschoenen draagt. Meester Bram legt uit waar Bo vandaan komt en dat ze nu naast Jesse is komen wonen. Iedereen kijkt naar hem en Jesse voelt het rood naar zijn wangen kruipen.

Bo staat voor de klas en vult meester Bram aan als hij iets niet precies weet.

'Ik is geboren op de Filippijnen net als mijn moeder. En toen ik twee ben, is we verhuisd naar Mali en na een half jaar gingt we naar Madagaskar.'

'Verlegen is ze niet,' denkt Jesse verbaasd.

Zelf bloost hij altijd als hij iets wil vertellen.

Maar Bo krijgt geen kleur. Tenminste, je kunt het niet zien.

'Ik wou dat ik bruin was,' peinst hij. 'Met zwart steil haar in plaats van die stomme rode krullen.'

Bo wijst op de grote wereldkaart aan waar ze geboren is. Haar vinger wijst naar een groepje eilanden in de buurt van Indonesië.

'Toen is we verhuisd naar hier. Mali is in Afrika. En toen ik twee is, gingt we naar een groot eiland vlakbij

19

Afrika. Dat heet Madagaskar.'

De kinderen luisteren ademloos. Ze begrijpen niet alles. Soms vertaalt meester Bram een zin.

Bo legt uit dat haar moeder Filippijns kan spreken.

'Dat heet Tagalog en klinkt heel raar. Ik kan er bijna niets van verstaan als ze met haar familie of vriendinnen uit de Filippijnen praat. Dan klakt ze soms met haar tong. Zomaar tussen woorden in. Net of hun tong ergens aan plakt en dan met een plofje losschiet.'

Bo doet het voor. De kinderen lachen ongelovig en meester Bram lacht mee.

'Maar mijn moeder spreekt ook gewoon Engels. Dat leren ze op de Filippijnen op school. Frans kan ze ook, want dat spreken ze op Madagaskar en nu leert ze Nederlands.'

Bo kan zelf ook drie talen spreken: Engels, Frans en Nederlands. Maar Nederlands kan ze nog niet zo goed. De kinderen vragen haar iets in het Frans of Engels te zeggen. Ze vinden het knap van Bo en willen van alles van haar weten. Bo wordt steeds enthousiaster. Ze gebruikt verkeerde woorden, maar iedereen begrijpt wat ze bedoelt. Soms haalt ze woorden door elkaar of spreekt ze ze heel gek uit. Dan lachen ze allemaal. Nou ja, bijna allemaal. Jesse vindt al die aandacht overdreven en zijn vriend Maarten ook.

In de pauze dromt een groepje meisjes om Bo heen. Iedereen willen alles van haar weten.

'Oh ja, heel veel apen en olifanten en ik heeft ook wel

eens een krokodil gezien.' Bo knikt heftig tegen Kiki.
'In het gras moet je altijd met stok op de grond boemen.
Anders word je door slang gebijt. Sommige slang is gevaarlijk, weet je.'
Bo sist en rolt met haar ogen. 'Dan kun je ziek zijn of dood worden.'
De meisjes griezelen en giechelen.
Jesse staat een eindje verderop bij Maarten en Jasper.
'Wat een opschepster,' moppert Maarten.
Jesse mokt mee. 'Nou, ik vind het maar een stom kind.
Ze denkt dat ze heel wat is. Alleen omdat ze uit een ander land komt. En dan dat taaltje. Wedden dat ze dat expres doet. Om op te vallen.'
Dan zwaait Bo naar Jesse. Hij bloost en steekt aarzelend zijn hand op.
Kiki stoot Bo aan en ze giechelen samen.
'Stomme meiden. Die staan ons gewoon een beetje uit te lachen,' bromt Maarten.
Jesse knikt. 'Meisjes zijn ook altijd hetzelfde. Het maakt niet uit of ze uit een ander land komen.'
Jasper schopt zijn voetbal naar Maarten en Maarten geeft hem door aan Jesse.
De jongens rennen over het schoolplein en zijn de meisjes al gauw vergeten.

5

Houdoe

Na school rent Bo naar Jesse.
'Je hoeft niet met mij thuis te gaan. Ik loop met Kiki en Tinka mee want die wonen dichtbij en we gaat samen spelen.'
Jesse knikt alleen maar.
'Stom kind,' denkt hij. 'Ik ben zeker niet goed genoeg omdat ik niet alles kan verstaan. Of omdat ik niet zo hard om haar verhalen hoef te lachen. Blij toe dat ik niet met haar opgescheept zit.'
'Goed dan. Ik wacht op Maarten,' zegt hij stug.
'We gaan voetballen bij Jasper op het veldje.'
Bo knikt. Vrolijk babbelt ze over het kleine zusje van Kiki, dat haar Bootje noemt en over de poes van Tinka die kleintjes heeft gekregen.
Jesse knikt, maar hij begrijpt de helft niet van wat ze zegt.
'Ziek jij?' vraagt Bo opeens.
'Hè, nee, hoezo?'
Bo haalt haar schouders op. 'Jij zo stil is. Mooie pukkels heb jij trouwens.'
Ze wijst naar Jesse's sproeten. Hij bloost en Bo gaat verder: 'Je ogen lijken op die van papa. Ze zijn net zo

blauw.' Dan wijst ze naar zijn haar.

'Ik vind het nais, je haar,' zegt ze.

Jesse voelt zich steeds bozer worden. 'Wat zegt dat rare kind toch allemaal. Eerst lacht ze hem uit om zijn sproeten en dan zegt ze iets stoms over zijn ogen en wat is 'nais' nou weer voor iets?' Hij wil er niet naar vragen. Dadelijk denkt ze nog dat ik dom ben. 'Nais' betekent vast iets geks of lelijks, denkt hij kwaad. Ze lacht natuurlijk om zijn stomme rode haar. Jesse trekt een lelijk gezicht. Hij schopt tegen een steentje en kijkt ongeduldig waar Maarten blijft.

'Schiet nou toch op, man!' roept hij als hij hem aan ziet komen.

Kiki komt ook aangelopen. Ze zwaait en roept: 'Ga je mee, Bo? Tinka is er ook al.'

Bo knikt en steekt haar hand op naar Jesse die samen met Maarten een andere kant in loopt.

'Sie joe,' roept ze vrolijk.

'Stom kind,' denkt Jesse, maar hij zegt: 'Houdoe'.

'Wil je ook thee, Jesse?'

Zijn moeder kijkt hem vragend aan.

'Nee, ik heb liever yogho, mam. Mag ik een plak peperkoek met dik boter erop?'

Zijn moeder knikt en snijdt een flinke plak koek af.

'Schenk je zelf je yogho in, Jesse? Hoe was het vandaag op school?'

Jesse haalt zijn schouders op.

'Gewoon,' zegt hij dan.

'Wat nou gewoon? Ik bedoel hoe ging het met Bo? Heb je haar een beetje geholpen? Het zal wel moeilijk voor haar zijn geweest. Helemaal vreemd. Allemaal onbekende gezichten. En een andere taal. Ze is vast erg achter. Of niet?'

Moeder gaat tegenover Jesse aan tafel zitten.

'Weet ik veel,' zegt hij onverschillig. 'Alleen is ze in elk geval niet. Iedereen wil vrienden met haar worden. Ze vinden haar allemaal leuk. Alleen maar omdat ze er anders uitziet. En omdat ze zo gek praat. Nou, ik vind het maar een raar kind. Ze schept vreselijk op over Madagaskar. Weet je hoe ze daar naar school ging? Met een eigen chauffeur. Idioot, hè? Haar moeder hoefde niet eens zelf te wassen of te strijken of het huis te poetsen! Ze hadden een dienstmeisje, een kok én een tuinman.'

Jesse's moeder roert in haar thee. Ze luistert aandachtig.

'Ja, dat is daar natuurlijk heel anders dan hier.'

'Heb je Bo vanmiddag gevraagd te komen spelen?'

Jesse haalt zijn schouders op. 'Natuurlijk niet, die gaat liever met meisjes om. Ze ging met Kiki naar Tinka.'

Hij kijkt lelijk. 'Ik wou maar dat opa Chris en oma Kootje nog hiernaast woonden, dan kon ik tenminste gewoon in mijn hut. Ik vind het echt flauw dat het niet meer van jullie mag. Zo heeft niemand er nog wat aan en de hut is toch zeker van mij. Ik heb hem helemaal zelf gebouwd. Trouwens, die ene tak hangt helemaal in onze tuin. Ik kan er toch gewoon in klimmen. Ze hebben het niet eens in de gaten. Mag het, mam? Toe nou, please?'

Zijn moeder kijkt streng.

'Jesse, ik wil niet dat je zo blijft zeuren. Je weet wat we hebben afgesproken. Waarom vraag je niet aan Bo of jullie samen in de hut kunnen spelen? Misschien vindt zij dat ook wel leuk.'

Jesse haalt zijn neus op.

'Pfff... die klimt heus niet in een boom. Dat durft ze nooit. Je weet toch hoe flauw meisjes zijn.'

Zijn moeder lacht hem uit.

'Welja, alsof alle meisjes flauw zijn. Ik klom vroeger altijd in bomen met mijn vriendinnen. Wij speelden zo vaak met de jongens uit de buurt.'

'Ja, jij misschien. Maar die Bo echt niet, daar geloof ik helemaal niets van.'

Hij moppert: 'Ik wou dat opa en oma nooit naar die stomme bejaardenflat waren gegaan. Ze zijn nog niet eens zo oud.'

Mama slaat haar arm om zijn schouders.

'Je mist ze ook hè? Het is vreemd na al die jaren, maar je weet best dat opa's hart niet goed meer is. Hij mag van de dokter geen trappen meer lopen.'

Jesse slikt en buigt zijn hoofd. Hij weet best dat zijn moeder gelijk heeft.

6

De olifantentas

Maarten staat naast Jesse op het schoolplein. Een eindje verder staat Bo druk te praten en te gebaren tegen een groepje vriendinnen. Ze buigen zich over haar gymtas, die ze van alle kanten bewonderen. Het is een opvallend gekleurde tas met olifanten er op. De meisjes vinden hem prachtig en begrijpen heel goed dat Bo trots is op haar tas uit Madagaskar.

'Ze heeft nog wel steeds veel te veel praatjes,' bromt Maarten.

Jesse grijnst: 'Ja, ze schept maar op over dat eiland waar ze vandaan komt. Heb je ook gehoord hoe ze daar naar school ging? Met een privé-chauffeur! Geloof jij dat?'

Maarten schudt zijn hoofd.

'Volgens mij liegt ze dat ze barst! Hier hebben ze toch zeker ook geen chauffeur. Wat voor auto heeft haar vader eigenlijk?'

Jesse haalt zijn schouders op.

'Weet ik niet. Volgens mij is het een oud karretje. Er zitten zelfs deuken in.'

Maarten slaat zijn vriend op zijn schouder.

'Zie je wel. Als ze rijk waren, hadden ze wel een mooie auto. Een gloednieuwe BMW of Mercedes. Of het nieuwste model van Porsche. Of een Jaguar.'

Jesse grinnikt. 'Jij altijd met je auto's. Dat jouw vader nou toevallig een Mercedes heeft. Die is trouwens van zijn werk, hè?'

Maarten snuift. 'Nou en? Alles beter dan zo'n lelijke tweedehands karretje.'

Jesse grinnikt om zijn vriend.

'Nee, rijk zien ze er niet uit. Ze hebben hier volgens mij ook geen werkster of een tuinman. Die heb ik er echt niet gezien. Haar moeder zeemt gewoon zelf de ramen en haar vader maait ook zelf het gras.'

'Zie je nou wel,' knikt Maarten. 'Het is gewoon een verwaand nest. Ze zuigt van alles uit haar duim, alleen om aandacht te trekken.'

Jesse schopt tegen een steentje.

'Ik wou maar dat ze in dat verre land was gebleven. Dan had ik mijn boomhut nog.' Maarten stoot zijn vriend aan. 'Zeg, zullen we eens een grap uithalen. Kijken of ze tegen een geintje kan?'

Jesse aarzelt. 'Wat dan?'

'Luister,' zegt Maarten geheimzinnig. Hij fluistert iets in Jesse's oor.

Jesse schrikt: 'Nee, dat kunnen we niet doen, man.'

Maarten geeft hem een por.

'Doe toch niet zo flauw, eitje. Het is maar een geintje. We brengen hem later weer terug. Niets aan de hand.'

De gymtassen van de kinderen hangen aan de kapstok in de gang.

Die van Bo is goed te herkennen. Haar felgekleurde schoudertas is helemaal met de hand gemaakt. De olifanten die erop geborduurd zijn, zijn met kleine kraaltjes versierd. De hengsels zijn twee slurven die in elkaar haken. Bo heeft de tas van Patrique gekregen toen ze wegging. Als afscheidscadeautje.

In de pauze grijpt Maarten de rugzak van de haak. Hij smoest met Jesse en grinnikt.

'Doe nou maar niet. Ze komen er vast achter,' zegt Jesse nog. 'Je weet hoe streng meester Bram is. Wie zijn gymspullen vergeet moet altijd nablijven.'

Maarten grijnst: 'Dan weet ze meteen hoe het er bij ons op school aan toe gaat.'

De jongens nemen de tas mee naar buiten. Er is niemand die het merkt. Maarten gooit de rugzak met een flinke zwaai in de struiken achter de school. Dan rennen ze proestend terug naar het plein. Net op tijd voor de bel.

7

De mislukte grap

Na de pauze pakt iedereen zijn gymtas van de kapstok. Bo loopt langs de rij haakjes en zoekt die van haar. Hier en daar hangt een jas of een sjaal. Bo ziet de honkbalpet van Jasper en herkent de rode trui van Bart. Haar felle tas met olifanten ziet ze nergens. Hoe goed ze ook kijkt; hij is spoorloos.

'Ik had hem hier toch echt opgehangt,' mompelt ze geschrokken. 'Hoe kan dat nou?' Bo kijkt ongelukkig om zich heen. Kiki en Tinka helpen zoeken, maar waar ze ook kijken, de tas blijft weg.

Meester Bram wacht ongeduldig tot alle kinderen bij de deur staan. 'Kom op, jongens, we moeten echt gaan, anders hebben we zo weinig tijd over voor de gymles. Ik wil een spannend partijtje slagbal doen.'

'Dat wordt nablijven,' voorspelt Tinka. Bo zet grote ogen op.

'Nablijven?' vraagt ze.

'Ja,' zegt Tinka. 'Wie zijn gymspullen vergeet, moet de meester helpen bij het opruimen en vegen van de klas.'

Maar meester Bram is in een goede bui als Bo vertelt dat ze geen gymspullen heeft. 'Volgende keer niet vergeten, Bo,' lacht hij vriendelijk. 'Voor deze keer strijk ik over mijn hart, maar een volgende keer gelden de regels ook voor jou.'

Bo wil vertellen dat ze haar spullen niet vergeten is. Ze wil uitleggen dat haar tas spoorloos is, maar meester Bram heeft zich al omgedraaid. Hij loopt voor de groep uit naar de gymzaal.

'Mijn tas is vast gesteeld, ik denk,' zegt Bo tegen Kiki. Die schudt haar hoofd. 'Daar geloof ik niets van, Bo. Wedden dat je hem ergens onder of tussen hebt gelegd. We gaan straks na de gym wel even heel goed zoeken.'

Bo kijkt achterom naar Maarten en Jesse. Hij kleurt tot achter in zijn nek. Hij vindt de grap met de tas allang niet leuk meer.

'Ik doe alsof ik naar de wc ga en dan ga ik haar tas halen!' sist hij tegen Maarten.

Die schrikt: 'Ben je gek geworden, joh! Als de meester het ziet, krijg je straf. Je hebt toch geen medelijden met dat stomme kind?'

Jesse haalt zijn schouders op. 'Een beetje,' geeft hij toe.

Maarten snuift en fluistert: 'Na de gym ga ik hem meteen halen en dan geef ik hem terug. Wedden dat ze er best om kan lachen.'

Jesse haalt zijn schouders op. Daar is hij nog niet zo zeker van.

Na de gymles komt een jongen uit groep acht met de tas van Bo naar meester Bram.

'Die lag tussen de struiken,' zegt hij. 'Ik moest er van meester Jaap mee langs de klassen. Is hij soms van een

van de kinderen uit uw klas?'
Meester Bram trekt zijn schouders op en houdt de tas
omhoog.
'Is deze soms van iemand hier?' vraagt hij.
'Mijn!' roept Bo blij als ze haar tas herkent.
Meester Bram kijkt Bo vragend aan.
'Hoe komt die nou tussen de struiken terecht, Bo? Had
je hem ergens laten slingeren?' Bo schudt haar hoofd.
'Nee, meester. Ik hing aan de kapstok. Iemand heeft
hem weggesteeld'
Iedereen lacht, maar Jesse lacht niet mee. Hij kijkt woest
naar Maarten.
'Hij was al weg, man!' sist Maarten. 'Kan ik er wat aan
doen!'
Meester Bram lacht ook niet mee. Hij kijkt streng de
klas rond.
'Wie heeft dit grapje bedacht?'
Niemand steekt zijn vinger op. Jesse voelt zijn hart bon-
ken in zijn keel. Hij heeft er spijt van, maar hij durft
zijn vinger niet op te steken. Jesse voelt dat Bo naar hem
kijkt.
Zijn wangen branden.
Meester Bram zucht en kijkt de klas rond.
'Ik dacht dat jullie eerlijker waren, maar ik kom er wel
achter.'
Maarten kucht en Jesse buigt zijn hoofd.

8

Een Afrikaanse waterval

Tijdens de tekenles is het stil in de klas. De opdracht is vrij; iedereen mag tekenen of schilderen wat hij wil. Jesse tekent een boomhut, Tinka schetst een paard, Kiki schildert een poes met vijf baby's en Bo maakt haar huis op Madagaskar. Het is een laag, wit huis met een grote tuin rondom. Overal staan gekleurde bloemen, struiken en hoge bomen. Op de inrit staat een jeep op hoge wielen. Een donkere man poetst hem. Onder een grote boom zitten twee kinderen: een donkere jongen met zwart krulhaar en een lichtbruin meisje. De zon schijnt en tussen de bomen kun je nog net de staart van een aap zien.

Meester Bram buigt zich over Bo's tekening.

'Wat een fijn huis,' zegt hij. 'Jij bent zeker dat meisje?' Bo lacht verlegen en knikt. Ze doopt haar kwast in de gele verf.

'En wie is dat, Bo? Woonde hij bij jullie in de buurt?'

'Dat is Patrique, mijn beste vriend,' vertelt Bo een beetje verlegen. 'Hij kan heel hard lopen. We deed altijd wedstrijden. Ik kon nooit winnen. We speelt altijd samen. En die rugzak met olifantjes voor de gym heb ik gekrijgt van Patrique toen ik naar Nederland ging.'

Bo's ogen schitteren.

'Fijn, om zo'n vriend te hebben,' zegt meester Bram. 'Die zul je wel erg missen.'

Hij legt zijn hand even op haar schouder en lacht zacht. 'Je kunt trouwens heel mooi schilderen. Als je wilt, mag je je tekening straks op het prikbord hangen, dan kan iedereen hem zien.'

Bo straalt. Jesse barst van jaloezie. Meester loopt langs zijn tafel zonder ook maar naar zijn werk te kijken. Niemand kijkt trouwens naar zijn mooie tekening, zelfs Maarten niet. En de boomhut is heel goed gelukt.

Hij kijkt naar Bo en denkt: 'Ze kan de pot op. Ik ga haar heus niet vertellen dat er een hut in de boom van haar huis zit. Dat is mooi mijn geheim. Daar kan ze mooi naar fluiten.'

Bo steekt haar kwast in het water, dat helemaal rood kleurt. Maarten is nieuwsgierig naar de tekening die Bo heeft gemaakt. Hij leunt achterover.

'Hela Bo, laat je tekening eens zien?'

Zijn stoel duwt tegen haar beker. Bo gilt, maar het is al te laat. Het water stroomt over de tekening. Alle kleuren lopen in elkaar over en de verf drupt op haar broek.

'Oeps, een Afrikaanse waterval,' grinnikt Maarten. 'Sorry Bo, het spijt me.'

Jesse schrikt. Hij kijkt van Maarten naar Bo.

'Oh, wat jammer,' kreunt Kiki. 'Wat ben je toch weer lomp, Maarten!'

'Ik deed het per ongeluk!' stottert Maarten. Hij trekt een grimas naar Jesse. Die kan er niet om lachen en kijkt verontwaardigd terug.

Meester Bram kijkt Maarten streng aan. Maarten voelt zich ongemakkelijk worden en stottert: 'Ik kon er echt niets aan doen, meester. Echt niet.'

Meester Bram bromt: 'Goed, ik geloof dat het een ongelukje was. Vooruit, Maarten, help Bo even de rommel op te ruimen. Toe, een beetje tempo graag.'

Jesse komt met keukenrol aanzetten. Hij dept het water voorzichtig van de tekening. 'Wat jammer nou, hij was net zo goed gelukt.'

Maarten komt met een doek. Hij veegt het blad van haar tafeltje droog. Hij kijkt beledigd en moppert zacht: 'Zo had ik het echt niet bedoeld, Bo.'

Bo probeert de vlek in haar broek weg te krijgen met een puntje van de handdoek en een beetje zeep.

Met een zucht gooit ze haar tekening in de prullenbak. Meester geeft haar een nieuw vel papier, maar dat blijft leeg. Bo staart naar de rug van Maarten.

'Zou hij het expres hebben gedaan?' peinst ze. 'Met die gymtas deed hij ook al zo raar.'

Ze is blij als de bel gaat en de les afgelopen is. Bo ruimt snel haar spullen op en loopt met Kiki en Tinka naar buiten.

'Stomme pestjongens,' hoort Jesse Kiki zeggen als hij voorbij loopt.

'Ze zijn gewoon jaloers omdat jij zo mooi kunt tekenen.' Jesse stoot Maarten aan.

'Wat was dat nou voor een rotgeintje, man. Dat kun je toch niet maken!'

Maarten kijkt lelijk. 'Doe niet zo stom, Jesse. Het was écht een ongelukje. Zoiets kan toch gewoon gebeuren?'

9

De bordtekening

De volgende ochtend staat Jesse op de hoek van de straat op Maarten te wachten. Bo loopt met Kiki en Tinka voorbij. De meisjes giechelen en Bo's vrolijke stem klinkt boven de andere uit. De meisjes zien Jesse niet staan, die steeds ongeduldiger wordt en op zijn horloge kijkt. Eindelijk ziet hij zijn vriend aan komen lopen.

'Hoi,' zegt Jesse. 'Jij bent laat zeg!'

'Hoi. Ik heb ook helemaal geen zin in school vandaag,' bromt Maarten.

'Nou, ik wel,' zegt Jesse opgewekt. 'Het is lekker woensdag. Vanmiddag zijn we vrij.' Maarten wordt er niet vrolijker van.

'We krijgen vandaag dictee,' moppert hij. 'En daar ben ik juist zo slecht in.'

'Je kunt het altijd beter dan Bo,' troost Jesse hem. 'Die bakt er helemaal niets van.' Maarten klaart op: 'Net goed. Krijgt ze mooi een onvoldoende.'

Jesse haalt zijn schouders op. 'Dat doet meester nooit. Bo kan er toch zeker niets aan doen dat ze niet zo goed in taal is? Ze woont hier nog maar een paar weken.'

Maarten geeft hem een duw.

'Wees toch niet zo'n doetje, man. Het lijkt wel of je

verliefd bent. Ahaaaa, nou snap ik het. Je bent gewoon
op Bo!'
Jesse's mond valt open en hij kleurt tot onder zijn haar-
wortels. 'Doe niet zo idioot, Maarten. Meisjes zijn stom
en Bo net zo goed.'

Maarten heeft vandaag de beurt om alle schriften klaar
te leggen en het bord schoon te vegen. Jesse wil hem
wel helpen. De jongens wachten niet op de bel en lopen
meteen naar binnen. Jesse legt de schriften op de tafel-
tjes klaar en Maarten poetst het bord. Dan pakt hij een
krijtje en tekent iets op de achterkant van het bord. Hij
proest en wenkt Jesse. 'Kijk eens wat ik gemaakt heb?'
Jesse komt nieuwsgierig dichterbij. Hij wil niet lachen,
maar het gaat vanzelf. Op het bord staat een tekening
van Bo. Ze lijkt precies.
'Je moet haar een jurk aangeven. Een blauwe,' hikt Jesse.
'En zwarte lakschoentjes.'
Maarten knijpt zijn ogen tot spleetjes en tekent verder.
'Net echt, man' vindt Jesse en pakt de borstel.
'Opzij, Maarten, dan vegen we het uit. Stel je voor dat
meester Bram het ziet.'
Maar Maarten is nog niet klaar. Hij schrijft iets onder
de tekening. Jesse leest het en lacht met Maarten mee.
Ze proesten het uit. Dan horen ze meester Bram in de
gang, die iets tegen juffrouw Tineke zegt. Hij komt de
klas binnen.
Snel duwt Maarten het bord dicht. Hij veegt het straks
wel weg. In de pauze heeft hij immers weer de beurt.

Spijt

Meester schrijft zinnen op het bord. Midden in elke zin mist een woord, dat de kinderen in hun schrift op moeten schrijven. Het is moeilijk, zeker voor Bo. Spreken gaat steeds beter, maar schrijven vindt Bo heel moeilijk. De woorden moeten steeds anders dan ze had gedacht. Bo maakt veel fouten. Ze zucht en kijkt bij Kiki hoe het moet. Meester Bram wenkt haar. Dan draait hij het bord om zodat hij ruimte heeft om wat op te schrijven en uit te leggen. Opeens ziet iedereen de tekening van Maarten.

Bo houdt haar adem in als ze zichzelf herkent. Boven de tekening staat met grote letters: Ik is oliedom.

De kinderen in de klas kijken elkaar vragend aan.

Maarten doet of hij niets in de gaten heeft. Hij schrijft druk in zijn schrift. Jesse kijkt strak voor zich uit. Hij voelt zich doodongelukkig.

Meester Bram wordt rood. Zijn mond gaat open en dicht alsof hij naar adem hapt. 'Wel alle donders,' buldert hij. 'Wie heeft dit gedaan? Wie denkt dat dit leuk is?'

Het is doodstil in de klas. Iedereen kijkt angstig om zich heen. Opeens rent Bo naar de deur. Tranen rollen over haar wangen.

'Stomme rotschool, stomme kinderen,' snikt ze. 'Ik wil naar huis en ik kom nooit meer terug. Ik hoor hier niet. Niemand wil me hier.'

Meester Bram vangt haar op.

'Kom, Bo, loop niet weg. Vooruit, we zoeken uit wie je die streek geleverd heeft.'

De meester praat Engels tegen haar. Hij slaat zijn arm om haar heen en praat sussend. Tranen lopen over Bo's wangen. Ze keert om en gaat weer naast Jesse zitten. Haar schouders schokken nog wat na.

De kinderen kijken geschrokken van Bo naar de meester. Zijn gezicht staat op onweer. Woedend kijkt hij rond.

'Niemand gaat naar huis. Eerst wil ik weten wie dit gedaan heeft,' briest hij.

Bo schuift ongemakkelijk op haar stoel en veegt langs haar ogen.

Meester staat dreigend voor het bord.

'Dit is kinderachtig, dom en ook nog eens ontzettend gemeen. Het is voor Bo al moeilijk genoeg om hier te wennen. Stel je jezelf maar eens voor in een vreemd land. Waar iedereen anders praat en waar andere gewoonten zijn, waar je helemaal nog niemand kent.'

Jesse kijkt naar Maarten, die schuin voor hem zit. Hij voelt zich ellendig. Maarten verroert zich niet. Heel de klas wacht. Aarzelend steekt hij zijn vinger op, terwijl zijn hart in zijn keel bonst.

'Heb je iets te zeggen, Jesse?' vraagt meester Bram donker.

Jesse slikt en knikt. Hij voelt alle kinderen naar hem

kijken. Zijn gezicht is donkerrood van schaamte.

'Het was maar een grapje, meester, we wilden het wegvegen maar toen ging de bel en...' Maarten steekt nu ook zijn vinger op.

'Ik heb het gedaan, meester,' zegt hij kleintjes. 'Jesse heeft alleen gekeken. Hij wilde het nog uitvegen. Echt waar, meester. Het is allemaal mijn schuld.'

Het blijft stil in de klas. Meester Bram zwijgt. Alleen de klok tikt. Het hoofd van de meester is rood en wordt steeds roder. Meester knijpt zijn lippen samen en zeg niets.

Dan snauwt hij kortaf: 'In de pauze komen jullie twee bij me. Hier moet eens een hartig woordje over gesproken worden. Ik heb er geen woorden voor.'

Hij kijkt de klas in: 'Ga allemaal je taalwerk doen! En in stilte, ik wil niemand horen.' Zachtjes gaan de kinderen aan het werk. Meester geeft Bo een leesboek en wijst haar bij welk hoofdstuk ze zijn gebleven.

Meester Bram veegt het bord schoon. Het blijft stil in de klas, doodstil.

Jesse en Maarten staan voor de tafel van meester Bram. Meester kijkt van Jesse naar Maarten. Hij zegt niets waardoor de jongens zich nóg ongemakkelijker voelen. Hij slaat zijn armen over elkaar.

'Jullie vinden Bo dom, hè? Nou, ik vind jullie nog tien keer zo dom. Ik heb er echt geen woorden voor. Nou, wat hebben jullie erover te zeggen?'

Jesse kijkt naar de grond en Maarten haalt zijn schouders op.

'Jullie moeten zelf maar eens ontdekken hoe moeilijk een vreemde taal is. Morgen breng ik een Frans boek mee. Daar moeten jullie elke dag een bladzijde uit overschrijven. Een week lang, elke dag. En na schooltijd.'

Meester Bram kijkt dreigend en de jongens knikken kleintjes.

'En als je fouten maakt, moet alles opnieuw!'

De jongens knikken nog eens. Meester is nog niet klaar.

'En ik wil dat jullie naar Bo gaan om te zeggen dat je er spijt van hebt,' briest hij. 'Ik vraag morgen persoonlijk aan haar of jullie dat ook gedaan hebben.'

Jesse schrikt en Maarten kijkt ongelukkig van Jesse naar de meester. Ze knikken en zijn blij als de bel gaat en de les weer begint.

De hele morgen blijft het stil in de klas. Niemand zegt iets tegen Jesse en ook niet tegen Maarten. Alle kinderen lijken boos en verontwaardigd.

Jesse kan zijn aandacht niet bij de leesles houden. Hij kijkt steeds opzij naar Bo. Hij zou iets tegen haar willen zeggen, maar weet niet wat of hoe.

Hij ziet Kiki woedend naar hem kijken. Jesse heeft zich nog nooit zo naar gevoeld.

11

Op bezoek

Eindelijk gaat de bel. Jesse trekt Maarten aan zijn jas mee naar buiten.

'Schiet op, anders is Bo weg. We moeten haar van meester toch zeggen dat we er spijt van hebben.'

Maarten treuzelt met zijn jas.

'Die ziet ons al aankomen, ze is woest natuurlijk. Verdorie, dat meester nou dat bord moest omdraaien. Anders was er niets aan de hand geweest.'

Ze lopen naar buiten. Het schoolplein is al bijna leeg.

'We gaan gewoon naar haar huis en wachten haar daar op. Ik wil niet dat Kiki en Tinka er bij zijn. Ik hoef geen pottenkijkers.'

Jesse knikt: 'Mij best, dan.'

Hij schopt tegen een steentje. Jesse heeft er de pest in.

'Was dat kind maar op Madagaskar gebleven,' moppert Maarten.

Jesse zucht: 'We zijn ook wel stom geweest. Met die tekening maar ook al met die tas.'

Maarten haalt zijn schouders op.

'Kan ik het helpen dat zij niet tegen een grapje kan?'

Jesse staat stil. 'Dat was geen grapje, Maarten, ik heb gezien

44

hoe verdrietig ze was. Dat hadden we niet moeten doen.'
Maarten gromt: 'Gek! Je hebt toch geen medelijden met
dat kind? Je weet hoe meisjes zijn. Met tranen krijgen ze
altijd gelijk, dat lukt mijn zus ook steeds.'
Jesse zucht en haalt zijn schouders op.
'Zeg, wat was meester kwaad, hè? Zo kwaad heb ik hem
nog nooit gezien.'
Maarten grinnikt. 'Weet jij eigenlijk wat we nou precies
tegen Bo moeten zeggen?'
Jesse kijkt benauwd. 'Geen idee, man. Misschien wil ze
ons niet eens zien.'
De jongens lopen naar het hek voor het huis waar Bo
woont. Jesse ziet nog net hoe Bo het tuinhekje achter
zich dicht doet en naar de achterdeur loopt. Ze aarzelen.
Jesse kijkt naar zijn vriend.
'Ze is al binnen. Zullen we dan gewoon aanbellen?'
Maarten haalt zijn schouders op. 'Zal wel moeten dan.'
Ze lopen over het pad naar de voordeur, waar Maarten
aanbelt.
De moeder van Bo doet open. Ze lacht vriendelijk als ze
Jesse herkent.
'Hai Jessie, Bo is niet home,' zegt ze. 'Thuis niet.' Ze
schudt haar hoofd. 'Even binnen wachten, jij?'
Jesse kleurt. 'Eh… wij moeten Bo spreken. Het is drin-
gend.'
Ze lacht opnieuw.
'Hier wachten dan Bo komen, ja?'
Jesse begrijpt niet helemaal precies wat de moeder van Bo
bedoelt, maar hij stapt binnen en Maarten volgt hem.

Ze zitten ongemakkelijk naast elkaar op de bank.
Gespannen kijken ze naar de deur.
'Wat zal Bo zeggen als ze ons hier ziet?' fluistert Jesse.
'Misschien gaat ze janken,' sist Maarten terug.
Dan brengt de moeder van Bo cola en zelfgebakken koekjes. Jesse hoeft niets, zijn buik voelt raar. Maarten drinkt een slokje en knabbelt aan zijn koek.
De moeder van Bo lacht verlegen. Ze wijst op de mand wasgoed en maakt het gebaar van strijken.
'Ik verder ga anders nooit klaar,' zucht ze. 'Veel werk, al die broek en bloes.'
De jongens knikken stom en kijken uit het raam of ze Bo aan zien komen.

12

De schuilplaats

Na een kwartier is Bo nog niet thuis. Haar moeder zet het strijkijzer op zijn kant op de strijkplank. Ze kijkt ongerust op de klok en loopt naar het raam.

'Ik doe niet begrijp,' mompelt ze en kijkt nog eens in de keuken.

'Kijk, haar tas wel hier. Bo uit school, ja. Ik kijk boven!'

Ze loopt de kamer uit. De jongens kijken elkaar aan.

'Wat moeten we nou doen, man. Dadelijk is mijn moeder ongerust,' zegt Maarten.

Dan komt de moeder van Bo weer binnen.

'Nee, no Bo zien in de huis,' zegt ze. 'Misschien bij Kiki of Tinka?'

Jesse knikt opgelucht.

'Ja, ze is vast naar Tinka of naar Kiki.'

Hij staat op. 'We gaan wel even bij Tinka kijken.'

De jongens zijn blij dat ze kunnen gaan.

'Dag mevrouw, bedankt voor de cola,' zegt Maarten beleefd.

Jesse geeft buurvrouw een hand en dan lopen ze naar buiten.

Maarten kijkt op zijn horloge. 'Waar kan dat stomme kind toch zijn? Nou ja, ik moet naar huis anders krijg ik op mijn kop. Ik zeg morgen op school wel dat het me spijt, hoor.'

Jesse knikt en zucht. 'Oké, tot morgen dan.'

Hij blijft staan, kijkt rond en denkt na. Waar kan Bo naar toe zijn?

Jesse zwaait naar Maarten en blijft peinzend staan.

Bo zit in de boomhut en gluurt tussen de takken door naar beneden. Ze heeft gezien hoe Jesse en Maarten bij haar thuis aanbelden en naar binnen gingen.

Nu komen de jongens weer naar buiten. Bo ziet hoe ze haar moeder een hand geven. 'Pestkoppen,' sist ze woest.

Maarten loopt het tuinpad af. Hij zwaait naar Jesse, die blijft staan en om zich heen kijkt. Jesse tuurt langs het huis naar de achtertuin waar de boom staat. Hij loopt over het gras regelrecht op de boom af. Bo schrikt als ze beseft wat hij wil. 'Dat stomme joch wil in mijn boom. Hoe durft hij.'

Ze houdt zich muisstil. Bo's hart bonkt in haar keel.

Jesse grijpt de laaghangende tak en trekt zich op. Hij hijgt en klimt verder.

Ineens springt hij in de hut. Bo gilt. Jesse schrikt en gilt ook.

Bo kijkt woest, haar bruine ogen fonkelen en haar haar danst woest om haar gezicht.

'Wat doet jij hier? Dit is my boom en jij hebt niets hier te maken. Ga weg, ik haat you, gemene pestkop met je lelijk rood haar. Vooruit, schiet op.'

48

Jesse hijgt en blijft zitten.

'Bo, ik heb het niet zo bedoeld. Echt niet. Het spijt me erg en Maarten ook. Het begon allemaal als een grapje. Ik geef toe dat het flauw en stom was. We wilden sorry komen zeggen, maar je was nergens. Toe, het was gewoon een grapje.'

Bo's ogen spugen vuur.

'Grapje? Pesten zult je bedoelen. Dat is het enige wat jij kan en Maarten ook. Die gymtas was zeker ook jouw idee? Jij vindt mij maar stom, hè? Nou, ik vind jou nog veel stommer en ik wil je nooit meer zien.'

Ze springt dreigend overeind.

Jesse aarzelt. 'Maar Bo, het spijt me echt. Dat moet je geloven. Het zal nooit meer gebeuren. Ik ga pas weg als je gelooft dat het me spijt.'

Hij springt ook overeind en ze staan woedend tegenover elkaar.

Bo zwaait met haar vuisten voor zijn ogen 'Nou, kom maar op als je durft.'

Jesse zucht en laat zijn armen langs zijn lijf vallen. Hij wil niet vechten.

'Ik ga al. Ik ben al weg.'

Bo lacht schamper. 'Bangerik, doetje,' scheldt ze.

Jesse klimt omlaag. Zijn hart bonst met felle boze slagen. Zijn ogen prikken gemeen. Hij schaaft zijn knie aan een scherpe tak. Hij denkt: Wat moet ik nou morgen tegen de meester zeggen? Zijn knieën knikken als hij weer op de grond staat. Een beetje van inspanning, maar het meeste van woede.

50

Meester kijkt de jongens streng aan.

'En? Is het opgelost en voor altijd uit de wereld?'

Jesse wil uitleggen wat er is gebeurd, maar Bo komt naar de tafel van de meester.

Ze kijkt verlegen naar meester Bram.

'Het is goed, meester. Ik niet boos of verdrietig meer. Ik wil niet ruzie met jongens. Het is stom. Ze hebt gezegd "sorry".'

Meester Bram knikt tevreden.

'Goed, Zand erover dan. Laat het nooit meer gebeuren.'

Dan kijkt hij naar Jesse en Maarten.

'Ik verwacht jullie deze week elke dag na school voor je strafwerk. En dan is alles vergeten en vergeven.'

Maarten knikt en Jesse zucht. Bo loopt naar haar plaats. Jesse ziet dat Kiki iets in haar oor fluistert. Bo giechelt zacht. Ze lachen me uit, denkt Jesse. Hoe kan ik het nou ooit weer goed maken?

In de pauze vraagt hij of Bo zijn appel wil.

'Hij is lekker zoet,' probeert hij, maar Bo schudt haar hoofd en kijkt een andere kant op.

Jesse vraagt zacht: 'Wil je me straks helpen met rekenen? Jij bent veel beter dan ik en ik snap het niet.'

Bo kijkt naar de grond en blijft zwijgen. Hij is lucht voor haar.

Ze kijkt uit het raam en denkt: Begrijpt hij het nou nog niet! Ik wil niets met hem te maken hebben. Wat zijn jongens toch dom! En Jesse is het domst.

13

Kobus ontvoerd

Als Jesse thuiskomt, hoort hij zijn moeders stem. Ze staat in de voortuin en roept ongerust: 'Kobus, kom dan Kobus!'

Jesse rent naar haar toe.

'Is hij weer eens weggelopen, mam? Maak je maar niet ongerust. Kobus gaat wel meer op stap. Dat weet je toch?'

Zijn moeder schudt haar hoofd.

'Nee, dat is het niet. Kobus is al de hele morgen weg. Ik heb overal gezocht, Jesse. Hij is echt nergens.'

Daar schrikt Jesse toch ook wel van.

'Ik kijk wel even rond in de buurt. Hij zal echt niet ver weg zijn.'

Ze lopen samen naar binnen. Jesse wil zijn moeder vertellen van de ruzie met Bo. En van het strafwerk, maar hij durft niet goed. Hij kijkt opzij naar het ongeruste gezicht van zijn moeder. Hij denkt: 'Ze wordt vast boos en dan mag ik natuurlijk de hele week niet buiten spelen. Ik kan maar beter niets zeggen. Nu nog niet.'

Zijn moeder loopt de kamer in en belt het politiebureau.

Jesse slentert nog eens rond het huis. Hij fluit en roept:

'Kobus, hier! Kobus, kom eens bij het baasje!' Maar Kobus komt niet.

'Waar kan dat beest toch zijn?' mompelt Jesse. Dan springt hij op zijn fiets en trapt door de buurt. In de verte loopt een groepje meisjes. Hij wil vragen of zij weten waar Kobus is, maar dan ziet hij Bo en besluit hij niets te zeggen. Verlegen rijdt Jesse voorbij. De meisjes fluisteren en giechelen. Hij hoort Bo lachen. Of is het Kiki?

Jesse voelt boosheid in zijn maag samenknijpen.

'Zouden die meiden soms iets van Kobus weten? Misschien heeft Bo Kobus wel ontvoerd en ergens verstopt! Om terug te pesten! Ja, zoiets moet het wel zijn! Stomme meiden.'

Jesse stampt woest op zijn pedalen. Thuis aangekomen fluit en roept hij nog eens, maar Kobus is nergens te bekennen.

Opa Chris en oma Kootje zijn er wel. Ze zitten in de kamer en drinken thee en omhelzen Jesse alsof ze hem al een hele poos niet hebben gezien. Jesse is blij dat hij oma en opa weer ziet en hoort, maar hij wil niet rustig gaan zitten.

'Dat beest is gewoon op vrijersvoeten,' lacht opa Chris. 'Maak je geen zorgen, jong. Die komt vanzelf weer bij zijn baasje terug.'

Oma kijkt even bezorgd als mama. 'Die Kobus toch. Dat is niets voor hem.'

Zijn moeder zucht. 'Oh ja, Jesse. Er ligt een brief voor jou op tafel.'

Jesse kijkt verbaasd. 'Een brief... voor mij?'
Hij pakt de bruine envelop van de tafel en bekijkt hem eens goed. Alleen zijn naam staat erop. Geen adres, geen postcode, zelfs geen postzegel. Jesse draait de envelop om. Op de achterkant staat: 'De geheimzinnige B'.
Jesse neemt de brief mee naar boven. Hij weet niet zeker van wie hij is, maar hij voelt wel dat dit geen geintje meer is. Misschien staat er iets in over de verdwijning van Kobus?
'Zeker een liefdesbrief!' hoort hij opa nog zeggen voordat hij de deur van zijn kamer dichtmaakt.
Jesse scheurt de envelop haastig open. Er zit een stuk papier in. Met grote hanenpoten staat erop geschreven:

Wraak aan pestkoppen en treiteraars.
En eronder:
De geheimzinnige B.

Jesse stopt het papier woest terug in de envelop.
'Die B. kan niemand anders zijn dan Bo,' sist hij. 'Nou weet ik het zeker. Zij heeft Kobus ontvoerd.'
Zijn moeder roept onderaan de trap.
'Jesse, ik heb je thee ingeschonken! Kom je?'
Jesse duwt de brief onder zijn hoofdkussen. Dan stommelt hij de trap af. Zijn moeder praat met opa en oma over de nieuwe buren.
'Het zijn aardige mensen. En Bo is een leuk kind. Ik denk wel dat ze verlegen is, want ze komt bijna nooit met Jesse spelen.'

Ze kijkt Jesse aan. Hij kleurt tot achter zijn oren. Moet hij nou vertellen wat er is gebeurd? Maar hoe dan? Wat zullen opa en oma wel zeggen?

Jesse zegt liever niets. Misschien vanavond als mama hem een nachtzoen komt geven. Stilletjes knabbelt hij aan zijn koekje.

14

De geheimzinnige B.

Die avond kan Jesse niet slapen. Gedachten dwarrelen door zijn hoofd en zijn buik voelt raar.

'Dat ze zó gemeen was! Dat had ik nooit gedacht. Natuurlijk is het mijn eigen schuld. Morgen ga ik het goedmaken. Ik zeg nog eens dat het me spijt. Ik ga vragen of we vrienden kunnen zijn. Dan zal ze Kobus vast vrijlaten.'

Jesse zucht diep.

'Ze zal toch wel goed voor hem zorgen? Of zou ze hem heel ver weg gebracht hebben? Dan kan hij de weg niet terugvinden. Of misschien heeft ze hem aan een boom vastgebonden? Of vergif gegeven? Nee, dat kan niet. Misschien heeft Bo er niets mee te maken. En is Kobus onder een auto gekomen.'

Jesse kreunt. Hij draait zich van zijn ene zij op de andere. Allerlei voorstellingen spoken door zijn hoofd. Eindelijk valt hij in slaap en droomt hij over Kobus. Dat hij in een donker hok zit, zonder eten en drinken, vastgebonden aan een touw. In de verte ziet hij Bo wegrennen en hoort hij haar gemeen lachen. Jesse holt achter haar aan, maar zij is razendsnel.

'Wacht maar, stomme griet. Ik krijg je nog wel,' hoort Jesse zichzelf roepen.

Bo lacht gemeen. 'Wraak aan pestkoppen en treiteraars,' roept ze.

De wekker is nog niet gegaan als Jesse de brievenbus hoort. 'De krantenjongen,' denkt hij. Jesse glijdt uit bed en kijkt uit het raam.
'Misschien zit Kobus wel voor de deur,' denkt hij.
Jesse ziet een meisje wegrennen. Hij kan niet goed zien wie het is, want het kind heeft een capuchon op haar hoofd.
'Zou het Bo kunnen zijn? Ja, natuurlijk dat is vast Bo,' denkt Jesse.
'Wat doet die hier zo vroeg? Heeft ze Kobus teruggebracht? Of heeft ze iets in de bus gestopt?'
Zachtjes loopt hij de trap af. Op de deurmat ligt weer een bruine envelop. Haastig scheurt Jesse de envelop open. 'Ik wist allang dat die brief van haar moest zijn. Ik wist het wel,' bromt hij. Hij leest: *Wie pest, zal dubbel teruggepest worden.* Dat staat er dit keer op.
Jesse wordt rood van woede. Onder aan de brief ziet hij weer: *De geheimzinnige B.*
Wat denkt dat rotkind wel?
Jesse kijkt grimmig en sluipt terug naar zijn kamer.
Hoe krijgt hij Kobus nou terug? Ineens heeft hij het.
'Ik sluip Bo vanmiddag na school gewoon achterna. Dan kom ik er wel achter waar ze Kobus heeft verstopt.'

Bo ligt nog in bed. Ze staart naar het plafond en denkt na over het plan van Kiki en haar om Maarten en Jesse een lesje te leren. Eerst leek het haar best leuk, maar nu niet meer. Bo denkt: Het lijkt wel of Jesse echt spijt heeft. Of hij het echt niet zo kwaad bedoeld heeft. Ik zal Kiki zeggen dat we ermee moeten ophouden. Dat we niet moeten doorgaan met die brieven. En dat we hun leren bal en honkbalhandschoen terug moeten geven.' Ze zucht. Jesse leek echt verdrietig gisteren. Ze had wel gezien dat hij rode ogen had. 'Gek dat hij verdriet heeft om een bal,' denkt ze. 'Het is natuurlijk wel een dure, leren bal. Misschien van zijn opa en oma gekregen? Of misschien heeft hij hem zelf bij elkaar gespaard.'

Kiki wilde er met een mes een gat insteken, maar dat vond Bo te gek. De bal ligt veilig in de boomhut en de honkbalhandschoen van Maarten ligt daar ook. Kiki heeft hem stiekem uit zijn tuin weggepakt. Eerst vond Bo het een goed plan, maar nu ze erover nadenkt, is het al helemaal niet zo leuk meer.

'Als Kiki die brieven nog maar niet in de bus heeft gestopt,' mompelt ze. 'Ik had Kiki niet moeten vragen om mij te helpen. Dat stomme Nederlands ook! Als het nog maar niet te laat is.'

15

Meidenstreken

Jesse heeft kringen onder zijn ogen. Hij let niet goed op in de les en zijn ogen dwalen af naar Bo, die stilletjes schuin voor hem zit.

Ik haat dat stomme kind, denkt Jesse. Wat zou ik haar graag aan haar haren trekken, haar een stomp verkopen of eens stevig door elkaar rammelen.

Kiki ziet dat er iets met Jesse is. Net goed, denkt ze.

Bo ziet er ook niet vrolijk uit. In de pauze loopt Kiki naar haar vriendin toe.

'Heb je soms een oorwurm ingeslikt?'

Bo snapt er niets van. 'Wat is oorwurm?'

Kiki lacht. 'Dat is een klein beestje, maar het is een uitdrukking. Dat zeggen we zo, als je lelijk kijkt. Is er soms iets?'

Bo haalt haar schouders op. 'Het is niet leuk meer. Ik wil geen ruzie met de jongens. Het is allang over.'

Kiki blaast verontwaardigd. 'Ben je mal. We moeten ze gewoon een lesje leren. Ik heb de brieven allang weggebracht. Gisteren de ene. En vanmorgen heel vroeg de andere.'

Bo kijkt haar geschrokken aan.

Kiki knikt: 'We hoeven geen medelijden te hebben,

hoor. Zie het maar als een geintje.'

Ze grinnikt: 'Zo krijgen ze mooi een koekje van eigen deeg.'

Bo haalt haar schouders op. Ze begrijpt niet wat koekjes met de ruzie te maken hebben, maar ze vraagt niet verder.

Het is pauze. Maarten zit op de rand van de zandbak en Jesse komt naast hem zitten.

'Kreeg jij ook zo'n kinderachtige brief?' wil Maarten weten.

'Jij ook al?' vraagt Jesse verbaasd.

Maarten laat een stuk papier zien. Jesse leest wat erop staat en zijn vriend grijnst.

'Zou die van Bo zijn?'

Jesse kijkt grimmig. 'Zeker weten! Ik heb precies dezelfde brief gehad. *De geimzinnige B*. Alsof wij stom zijn, zeker. Als ze denkt dat ze leuk is, dat stomme kind! Die grappen van ons waren flauw, maar dit is gewoon gemeen!'

Maarten haalt zijn schouders op.

'Och gemeen... het zijn gewoon flauwe meidenstreken. Ze zal onze spullen toch wel teruggeven. Wat mis jij trouwens? Ik ben mijn honkbalhandschoen kwijt! Ik hoop wel dat ze er zuinig op is, want die was hartstikke duur.'

Jesse slikt. Bij mij is het veel erger. Ik ben Kobus kwijt!'

Maarten kijkt ongelovig opzij.

60

'Maar dat kan toch niet, joh. Zó gemeen zal ze toch niet zijn? Zoiets zal ze toch niet doen?'

Jesse knikt. 'Het kán geen toeval zijn. Kobus blijft nooit zo lang weg. Dat is nog nooit gebeurd. Hij is sinds gisterochtend weg en 's middags kreeg ik die idiote dreigbrief.'

Maarten kijkt naar de meisjes, die een eindje verderop staan te kletsen en te lachen. Kiki heeft het hoogste woord. Bo staat er stilletjes bij.

16

Het misverstand

Na schooltijd loopt Bo snel naar huis. Haar moeder zit op de bank en naast haar zit de moeder van Jesse.
'Hi Bo,' zegt haar moeder. 'Hoe was school? Wil je ook drinken?'
'Hi mam, wel goed. Nee, ik pak zelf wel wat te drinken in de keuken.'
'Kom er toch even gezellig bij,' lacht Jesse's moeder. Ze klopt naast zich op de bank, maar Bo schudt haar hoofd.
'Eh, nee, ikke... heb geen tijd. Ik heb met Kiki afgesproken'
Ze kijkt van de een naar de ander. Dan loopt ze door naar de keuken. Ze laat de deur op een kiertje. Wat hebben de moeders te bespreken? Weten ze van de ruzie en van de gestolen bal en honkbalhandschoen?
Bo hoort de moeder van Jesse in het Engels met haar moeder praten.
'Hij loopt wel eens meer weg als er loopse vrouwtjes in de buurt zijn, maar dan komt hij altijd na een uurtje weer thuis. Maar nu is Kobus al twee dagen weg. Ik snap er niets van. Ik ben bang dat hij een ongeluk heeft gehad. Jullie hebben hem toevallig ook nergens gezien? Jesse is

al twee dagen op zoek en hij is er helemaal akelig van.'
De moeder van Bo vindt het vreselijk voor Jesse, maar
ze heeft Kobus ook nergens gezien.
'Ik zal goed opletten en aan mensen uit de buurt vragen,' belooft ze.
Opeens snapt Bo het. Dát is er dus aan de hand! Kobus is
weg en Jesse is ontroostbaar. En ik dacht nog wel, dat het
om zijn bal ging. Wat een verschrikkelijk misverstand.
Bo slaat haar hand voor haar mond.
En dan die brief. Nu denkt hij vast dat ik Kobus gestolen heb! Oh ja, dat denkt hij vast!
Bo krijgt het er warm van. Ze moet zo snel mogelijk
naar Jesse en hem alles vertellen. Dan kunnen ze samen
Kobus zoeken.

Jesse kruipt door de heg. Hij kijkt om zich heen, maar er
is niemand te zien. Hij sluipt naar de boom en kijkt nog
eens om zich heen. Met een behendige sprong grijpt hij
de tak en trekt zich op. Jesse is er bijna zeker van dat hij
in de boomhut iets over Kobus zal ontdekken. Als Jesse
door de opening binnenkruipt, kijkt hij verbaasd rond.
'Wat een meidengedoe,' hijgt hij verontwaardigd.
Jesse staart naar de oude kleden op de planken en de
tekeningen aan de wanden. Grimmig trekt hij de doeken los en scheurt de tekeningen van het hout.
In de hoek ligt zijn bal en de honkbalhandschoen van
Maarten.
'Stom kind,' sist hij kwaad.
De gestolen spullen laat Jesse voor wat ze zijn. Hij zoekt

naar aanwijzingen over Kobus, maar hij vindt helemaal niets. Teleurgesteld wurmt hij zich door het gat terug en klimt naar beneden.

Bo holt naar buiten als ze Jesse voorbij ziet komen. 'Jesse, stop. Ik moet je iets zeggen. Ik niks weet van Kobus. Jesse wacht nou.'

Ze moet hard rennen om hem in te halen.

'Ga weg, stom kind,' sist Jesse.

'Jesse, luister. Kobus, dat weet ik echt niet, maar ik zal bal teruggeef en de handschoen ook. Het was for fun. We wilt jullie bietje plagen. Maar ik zweer, ik niks van Kobus weten.'

Jesse kijkt haar vals aan. 'Ja, ja, dat zal wel! Hoe weet je dan dat hij weg is? Ik heb het niemand verteld. En zeker niet aan jou.'

Bo krijgt het er warm van. 'Nee, maar...'

Ze ziet zijn bleke gezicht onder de verwarde rode krullen. 'Ik help zoeken, ja?'

Jesse kijkt haar woest aan.

'Nee, laat me liever met rust. Ik wil niets meer met je te maken hebben. Vooruit, gemene leugenaarster, ga weg. Je hoort hier niet. Ga maar gauw terug naar dat verre land waar je vandaan komt. Ga maar naar dat bruine vriendje van je waar je altijd over opschept.'

Jesse geeft Bo een duw. Bo draait zich om en rent naar huis. Ze holt naar boven en laat zich op bed vallen. Tranen rollen over haar wangen.

'Patrique, was jij er maar. Jij zou wel weten wat ik moest doen,' snikt ze. 'Het is echt niet leuk in Nederland.'

17

Het asiel

Een half uur later belt Kiki op om te vragen of Bo naar haar komt. Bo verstaat bijna niets van wat ze zegt.
'Wacht even, Bo. Doeska blaft zo hard. Ik zet hem even in de keuken.'
Bo wacht ongeduldig.
'Hoi Bo, daar ben ik weer.'
Kiki praat vrolijk verder.
'Doeska is een schat. Maar als er iemand voorbij loopt, blaft ze. Dat deed ze in het asiel ook.'
'Het asiel? Wat is dat?' vraagt Bo.
Als Kiki het uitlegt, begint Bo te juichen.
'Dat is het, daar moet ik naar toe! Wedden dat Kobus daar is!'
Kiki snapt er niets van.
'Waar heb je het over, Bo? Wil je soms ook een hond?'
Dan vertelt Bo dat de hond van Jesse spoorloos is en dat hij daar heel verdrietig over is.
'Nou en?,' zegt Kiki. 'Wat hebben wij daar mee te maken? Dan moet Jesse maar beter op zijn hond passen. Misschien is dat dier zelf weggelopen. Ik zou ook niet bij zo'n rottig baasje willen wonen.'
Bo haalt haar schouders op.

'Jesse denkt dat ik hond heb gesteeld. Hij woedend is op mij. Ik weet niet wat ik moet doen. Ik heb al gezegd dat ik geen Kobus weet. Hij gelooft niets daarvan.'

Kiki bromt: 'Nou en? Dat is dan mooi vette pech. Dat moet hij zelf maar weten. Je bent gek als jij zijn hond gaat zoeken. Of ben je al vergeten dat hij jou zo heeft gepest!'

Bo zucht ongeduldig. 'Ik ga wel alleen. Waar is dat asiel, Kiki?'

Het blijft even stil.

'Nou, goed dan. Ik ga wel mee. Ze hebben er zulke leuke puppy's. Die wil ik best nog eens zien.'

Kiki ratelt maar door.

'Kunnen we nu gaan?' vraagt Bo ongeduldig.

Ze hupt van het ene been op het andere.

'Mij best. We moeten wel op de fiets,' zegt Kiki.

Bo schrikt en krijgt een kleur. Ze heeft nog nooit op een fiets gereden.

'Eh… ik heb geen fiets,' stottert ze.

'Nou, dan neem ik je wel achterop,' lacht Kiki. 'Maar alleen als jij terug fietst.'

Even blijft het stil.

'Maar ik kan helemaal niet fietsen. Dat heb ik nooit geleerd.'

Kiki giechelt ongelovig.

'Hoe kan dat nou? Iedereen kan toch zeker fietsen. Kleine peutertjes zelfs.'

Bo haalt haar schouders op. 'Op Madagaskar hoeft ik niet gaan fietsen. Heb chauffeur of gaat lopen.'

Kiki lacht. 'Weet je wat, ik zal het je leren. We oefenen bij mij in de straat. Maar nu kom ik je eerst halen. Dan gaan we samen naar het asiel.'
'See you.'
'Houdoe'

18

Puppy's

Het asiel ligt helemaal aan de andere kant van het dorp. Kiki moet hard trappen want ze hebben wind tegen. 'Jij hebt mooi geluk,' moppert ze tegen Bo. 'Jij zit lekker achterop en hoeft niets te doen.'
Bo kijkt trekt een lelijk gezicht tegen de rug van Kiki. Ze zit helemaal niet lekker. Haar benen doen pijn omdat ze die angstvallig omhoog houdt zodat ze niet tussen de spaken komen. En haar billen voelen bont en blauw van al dat botsen en stoten.
Eindelijk zijn ze er. Ze horen de honden van het asiel al blaffen. Bo springt opgelucht van de fiets en luistert ingespannen of ze het hese stemgeluid van Kobus herkent, maar het kabaal is oorverdovend.
Kiki zet haar fiets tegen de muur en zet hem op slot. De meisjes lopen naar de deur van het asiel. Kiki belt aan en een vriendelijke mevrouw doet open.
'Zo dames, waar kan ik jullie mee helpen?'
'Eh… ik ben Kiki en dit is mijn vriendin Bo. We hebben hier een paar weken geleden een hond gekocht. Weet u nog wel, Doeska?'
Kiki kijkt haar vragend aan. De mevrouw van het asiel denkt na en lacht een heleboel rimpeltjes rond haar ogen.

'Oh ja, nou weet ik het weer. Jij wilde eigenlijk liever een puppy, zo was het toch, hè?'

Kiki kleurt. 'Eerst wel, maar nou ben ik toch wel gek op Doeska. Ze is hartstikke lief.'

Bo kijkt ongeduldig langs de mevrouw naar binnen.

'Mogen we even kijken binnen, please?' vraagt ze liefjes.

Kiki knikt en zegt: 'Mijn vriendin wil misschien ook een hond. Mag ze de puppy's zien?'

De mevrouw van het asiel duwt de deur wijd open.

'Kom dan maar gauw binnen en denk erom dat je de deuren goed dichtdoet. Onze Rakker is zo vlug als water en die glipt zo tussen je benen door naar buiten als je niet oplet.'

Kiki lacht om het kleine witte hondje, dat vrolijk rond haar benen springt. Zijn staart zwiept vrolijk heen en weer.

'Zo kleintje, wou je wegglippen? Nou mooi niet vandaag.'

Bo heeft geen oog voor de kleine springer. Ze loopt haastig achter de mevrouw van het asiel aan. Het geblaf van de honden klinkt steeds luider.

'Mevrouw, zijn er ook wel eens weggelopen honden hier?'

Bo kijkt de mevrouw vragend aan als ze naar de hokken lopen.

De mevrouw van het asiel knikt. 'Ja, we hebben er op het moment wel een stuk of zes. Soms laat de eigenaar ze gewoon vrij in een bos, soms worden ze meegenomen

71

en ergens anders weer vrijgelaten. En soms raken die dieren gewoon zelf de weg kwijt.'

Ze kijkt Bo ernstig aan. 'Ben jij je hond dan kwijt?'

'Eh… nee, maar mijn buurjongen wel en hij is veel verdrietig. Nou hebt wij overal gekijkt, maar Kobus is nog kwijt.'

De mevrouw knikt begripvol.

'Wat sneu voor je buurjongen. Wat is de hond voor een ras?'

Bo weet het niet precies.

'Hij groot is en lange staart heeft hij,' vertelt ze. 'Hij heeft lieve ogen, bruine net als ik. Hij is ongeveer zó dik.' Bo wijst tot aan haar middel.

De mevrouw lacht. 'Zo groot, bedoel je.'

Kiki roept: 'Bo, kom eens kijken wat schattig! Hier zitten de puppy's. Ze zijn al best groot geworden.'

Een jonge hond duwt zijn snuit tussen de tralies van een van de hokken door. Bo voelt zijn natte neus tegen haar hand.

'Hij vindt je leuk, want Bertje is altijd heel erg verlegen. Die kruipt liever in een hoekje,' lacht de mevrouw van het asiel.

Even vergeet Bo Kobus. Ze aait Bertje en al snel verdringen zijn broertjes en zusjes zich bij het deurtje van het hok.

'Oh, wat zijn die puppy's leuk!' roept ze vertederd uit.

De mevrouw maakt het hok open en Bo en Kiki stappen voorzichtig binnen. De jonge hondjes springen nieuwsgierig snuffelend en kwispelend om ze heen.

Zachtjes pakt Bo een jong diertje op schoot.

'Wat een leukje ben je,' mompelt ze. 'Jammer dat mama allergisch voor honden en katten is, anders nam ik je mooi mee.'

19

Gewond

De meisjes slenteren langs alle hokken en bekijken de honden kritisch. Het zijn er heel veel, in alle soorten en maten. Grote, kleine, zwarte of bruine, met spitse oren of hangoren met lange poten of korte dribbelpootjes, met lange zwiepende staarten of juist korte wiebelstompjes.
Maar de hond van Jesse is er niet bij.
Dan hoort Bo een gek geluid. Ergens achterin jankt een hond. Het klinkt zielig en een beetje hees.
'Dat geluid ken ik. Het lijkt op Kobus. Waar zit die hond? Is die ziek?'
De mevrouw van het asiel kijkt ernstig.
'Die hond is eergisteren gewond binnengebracht. Een voorbijganger heeft hem langs de rijbaan gevonden. Niemand weet van wie hij is en de hond heeft geen penning aan zijn halsband. De dierenarts heeft zijn wonden gehecht en hem een spuitje gegeven. Maar hij wil niet eten of drinken. Ik denk dat ik vandaag de dierenarts nog maar eens naar hem moet laten kijken.'
Bo loopt in de richting van het geluid.
'Kobus? Ben jij dat soms, Kobus?'
De mevrouw loopt met haar mee naar het achterste hok.
Daar komt het gejank vandaan. Bo tuurt naar binnen,

maar ze ziet niets. Pas als ze zachtjes begint te praten, beweegt er iets in de hoek. Er komt een hond naar haar toe. Hij loopt een beetje mank en er zit bloed bij zijn hals en aan zijn poot.

Bo herkent zijn roodbruine vacht en weet het heel zeker.

'Och lieve Kobus, wat doe jij hier? Wat heb je gedaan? Is je gewond? Is het erg? Word je wel beter? Gaat hij dood?'

De mevrouw van het asiel staat achter Bo. Ze kijkt naar de hond, die zachtjes jankt en zijn neus tegen de tralies duwt. Zijn staart zwaait heen en weer.

'Ik denk dat je gelijk hebt. Hij kent je en hij luistert ook naar zijn naam.'

Kiki komt ook kijken.

'Ja, dat is Kobus echt. Oh, wat zal Jesse blij zijn.'

De meisjes willen Kobus meteen meenemen, maar de mevrouw van het asiel vindt dat niet goed. Zelfs niet als Bo uitlegt wat er allemaal gebeurd is. En waarom Jesse en zij zo boos zijn op elkaar.

'Ik moet hem teruggeven aan Jesse,' zegt ze smekend. 'Die denkt dat ik hem heb gesteeld. Dat ik hem wil pesten. En dat is not zo.'

Kiki zegt niets, ze knikt alleen. Maar de mevrouw van het asiel houdt vol dat dat zomaar niet kan.

'De eigenaar moet hem zelf komen halen en zijn papieren meebrengen. Stel je voor dat iedereen hier zomaar een hond kan meenemen en zegt dat die van hem is'.

Bo stapt het hok binnen en aait Kobus zachtjes over zijn kop.

'Heb je erge au?' mompelt ze bezorgd.

Kobus likt Bo's hand en duwt zijn kop tegen haar aan.

Dan jankt hij zacht.

'Braaf... ja, ja, je is braaf.'

Bo tuimelt bijna achterover als Kobus tegen haar op-
springt en zijn poten op haar schouders legt. Hij kwispelt blij. Geschrokken ziet Bo de wond op zijn kop. Hij
zit dicht bij zijn oor.

'Het ziet er erger uit dan het is,' zegt de mevrouw vriendelijk. 'De dierenarts heeft het mooi gehecht, net zoals
die wond aan zijn achterpoot. Het doet nou nog wat
pijn, maar dat gaat gauw over. Over een paar weken zie
je er niets meer van.'

Bo geeft de naam en het adres van Jesse. De mevrouw
belooft meteen te bellen.

'Maar niets zeggen van ons, hoor' zegt Kiki. 'Dat hoeft
hij niet te weten. Hij lacht ons misschien wel uit.'

De mevrouw schudt haar hoofd en begeleidt de meisjes
naar de deur.

'Die jongen mag juist blij zijn,' bromt ze. 'Maar goed, ik
zal niets zeggen. Jullie je zin.'

De moeder van Jesse zucht opgelucht. Kobus is terecht.
Ze heeft net een telefoontje gehad van het asiel. Kobus
is waarschijnlijk aangereden door een auto. Hij heeft
kneuzingen en wonden, maar gelukkig niets gebroken.

'Dat ik daar toch zelf niet aan gedacht heb.'

Ze kijkt op de klok. Jesse is met Maarten gaan voetballen en komt pas om vijf uur thuis. Dan aarzelt ze niet

langer. Ze trekt haar jas aan, haakt Kobus' riem van het haakje en pakt de sleutels van de auto. Dan rijdt ze weg.

20

De hondendief

Jesse is helemaal niet gaan voetballen. Hij is de meisjes op een afstandje gevolgd naar het dierenasiel. Hij snapt ineens dat de meisjes Kobus aan het asiel moeten hebben verkocht. En nou zoeken ze daar zeker een nieuwe baas voor zijn hond.

Zijn hart klopt in zijn keel als hij de meisjes weer naar buiten ziet komen. Pas als ze helemaal uit het zicht verdwenen zijn, loopt Jesse naar de deur van het asiel.

Hij belt, maar er komt niemand. Jesse belt nog eens, maar er wordt niet opengedaan. Hij hoort alleen honden blaffen.

De mevrouw van het asiel staat in de bijkeuken, die helemaal achter alle hokken ligt. Ze maakt eten voor de dieren klaar. De kraan loopt en de radio speelt. Het is haar lievelingslied en de mevrouw zingt mee, zo hard ze kan. Rakker ligt aan haar voeten te wachten op zijn voer. Ze hoort de honden blaffen, maar dat is niets bijzonders. Die blaffen altijd ongeduldig als ze met het eten bezig is. Ze verwacht de mevrouw van Kobus nu nog niet.

Jesse kijkt boos naar de dichte deur. Hij weet zeker dat er iemand moet zijn.

Hij duwt eens tegen de deur, die vanzelf open gaat. Jesse

kijkt om zich heen en glipt dan naar binnen.

'Wat maken die honden een kabaal.'

'Hallo, is daar iemand?'

Er komt geen antwoord. Even aarzelt Jesse, maar dan loopt hij verder het asiel binnen. Waar zou Kobus zijn? Hij sluipt langs de hokken en kijkt erin. Jesse ziet allerlei honden. Ze kijken hem nieuwsgierig aan of blaffen boos. Jesse sist. 'Wees toch stil. Zoet maar, braaf.'

Opeens hoort hij een zacht gejank. Het geluid klinkt hem als muziek in de oren.

'Kobus!' roept Jesse blij.

Hij rent de gang verder in en struikelt bijna over een emmer. In het laatste hok ziet hij een hond die op Kobus lijkt, maar... Jesse krijgt tranen in zijn ogen.

'Oh, Kobus, wat hebben ze toch met je gedaan? Die rotmeiden! Wat zie je er uit, en is dat bloed? Oh, je bent gewond. Hebben ze je geslagen?'

Voorzichtig maakt hij het haakje van de deur los en glipt naar binnen. Dan hurkt hij naast Kobus en streelt zachtjes zijn vieze vacht. Kobus kwispelt en likt zijn baasje in het gezicht.

'Jakkes, Kobus! Niet doen, gekkie.'

Jesse klopt hem zachtjes op zijn rug.

'Kom, Kobus, dan gaan we naar huis. We zullen het ze betaald zetten.'

Jesse kijkt om zich heen. Aan een spijker in de muur hangt een stuk touw. Hij knoopt het voorzichtig om de hals van Kobus en trekt hem mee.

'Kom Kobus, snel wegwezen hier. Anders gaan ze je nog

verkopen! En dat mag niet, hoor. Nee, in geen duizend jaar.'

Haastig lopen ze langs de hokken. Jesse duwt de buitendeur open. Hij raapt zijn fiets op uit het gras. Dan springt hij op het zadel en trapt de straat uit. Jesse houdt het touw van Kobus stevig vast.

Niemand heeft ze gezien, ook de mevrouw van het asiel niet, maar dat kan Jesse niet schelen. Kobus is immers terug!

21

Het lege hok

De mevrouw van het asiel geeft de honden en katten te eten. Bij de puppy's blijft ze wat langer bezig. Twee hondjes spelen met een oude borstel. Ze rukken en trekken om het hardst. De kleinste klimt er bovenop. Ze speelt het spelletje even mee en lacht om de dolle streken van het tweetal. Het spel staakt meteen als de mevrouw een bakje brokken neerzet. Ineens is de borstel vergeten. De puppy's rennen hongerig naar de brokken. De mevrouw lacht. 'Grote schrokkers, dat zijn jullie. Vooruit, hier heb je nog wat extra.'

Dan gaat de bel. Ze sluit het hok en loopt naar de deur. De moeder van Jesse steekt haar vriendelijk de hand toe.

'Dag mevrouw. U heeft mij zojuist gebeld over Kobus.' De mevrouw van het asiel knikt en laat de moeder van Jesse binnen.

'Oh ja. Komt u gauw binnen, anders glipt onze Rakker er tussenuit. Als die de kans krijgt gaat hij het liefst alleen op stap.'

De moeder van Jesse kijkt omlaag. De witte deugniet wringt zich tussen haar benen door.

Snel doet ze de deur dicht.

De vrouw van het asiel loopt voor haar uit.

'Kom, we zullen Kobus snel gaan bevrijden. Hij zal blij zijn als hij u ziet. Ik maakte me al een beetje zorgen over hem, want hij wil niets eten of drinken. Ik denk dat hij eerder heimwee heeft dan pijn.'

Ze lopen tussen de hokken door. Bij de puppy's blijft Jesse's moeder even staan.

'Och, wat een schatjes. Je zou ze zo allemaal mee willen nemen.'

De mevrouw van het asiel lacht.

'Nou, u zou er gauw van terugkomen. Ze bijten en knauwen op alles.'

Even later staan ze bij het hok van Kobus.

'Zo, hier is het,' wijst de vrouw.

De moeder van Jesse kijkt door het gaas.

'Maar hier zit niks in. Het hok is leeg. Ik denk dat u zich vergist.'

De mevrouw trekt haar wenkbrauwen op.

'Dat kan niet. Ik heb hem een kwartier geleden nog gezien.'

Geschrokken kijkt ze naar het deurtje. Ze ziet dat het haakje los is.

'M... Maar d... dat kan toch helemaal niet,' roept ze verbaasd.

Ze zwaait de deur open en kijkt rond. Er is geen spoor van Kobus. Het hok is leeg.

De mevrouw van het asiel staat verslagen bij het lege hok. Ze snapt er niets van. De moeder van Jesse kijkt haar vragend aan.

'Ik snap er niets van. Een kwartier geleden was hij er nog. Ik heb hier met die twee meisjes nog gezeten om...'

Ze kijkt om zich heen. 'Misschien hebben die meisjes de hond stiekem toch meegenomen.'

'Welke meisjes?' wil de moeder van Jesse weten.

De mevrouw zucht. 'Ik heb beloofd niets te zeggen. Maar nu is alles anders.'

Ze vertelt wat ze weet.

'Ze waren ongeveer een jaar of tien. De een blond met een paardenstaart en de ander klein en donker van huid. Ik denk dat haar ouders uit een ander land komen. Marokko of Suriname of misschien Indonesië, dat weet ik niet precies. Ze had van dat mooie zwarte lange haar en van die grote bruine ogen. Ze sprak Nederlands met een beetje Engels er doorheen, dacht ik.'

De moeder van Jesse knikt.

'Ik denk dat u Kiki en Bo bedoelt. Bo is ons buurmeisje en Kiki is haar beste vriendin. Maar wat deden ze bij u in het asiel?'

De mevrouw van het asiel vertelt over de kinderachtige ruzie met Jesse en de ontvoering die niet echt was omdat Kobus zelf weggelopen was.

'Dat meisje met die zwarte haren had medelijden met uw zoon en ze kwam samen met haar vriendin op het idee om zijn hond hier te zoeken.'

Jesse's moeder schudt haar hoofd.

'Natuurlijk heeft zij er niets mee te maken. Dat heb ik nooit gedacht. Kobus zal wel achter loopse vrouwtjes aangegaan zijn en dan kijkt hij nergens naar.'

Dan glimlacht ze naar de mevrouw.

'Bo zal Kobus wel meegenomen hebben om Jesse te verrassen. Ik kan maar beter naar huis gaan, want ik denk dat Kobus daar wel zal zijn.'

De mevrouw van het asiel knikt.

'Het spijt me. Het moet gebeurd zijn toen ik achter bezig was.'

De moeder van Jesse geeft haar een hand en belooft haar te bellen als Kobus thuis is.

Als ze de auto in de oprit heeft geparkeerd, loopt de moeder van Jesse naar het huis van de buren. Ze belt aan en Bo doet open.

'Dag Bo, heb jij Kobus mee naar jouw huis genomen?'

Geschrokken kijkt Bo haar ongelukkig aan.

'Nee, ik heb niet ontvoerd Kobus. Hij heeft ongeluk gehad en nou heb ik samen met Kiki gevonden in het dierenasiel. Hij zal beter worden zegt de mevrouw. Echt waar. Ik heb niets gedaan.'

De moeder van Jesse strijkt geruststellend over haar haar.

'Natuurlijk heb jij Kobus niet ontvoerd, kindje. Er is niemand die dat denkt. Maar weet je waar Kobus nu is?'

Bo knikt opgelucht. 'In het asiel! Ik ben er vanmiddag nog geweest.'

De moeder van Jesse kijkt opeens niet zo geduldig meer.

'Ja, hij is daar wel geweest, maar waar is Kobus nu?'

Bo stottert en krijgt een kleur als vuur.

'M… maar… hij moet daar nog zijn. Hij was er vanmiddag nog. Ik heb hem zelf gezien.' Jesse's moeder kijkt streng: 'Of hebben Kiki en jij hem meegenomen?'

Bo schudt haar hoofd.

'Oh nee, die mevrouw zou u bellen. Heeft ze dat dan niet gedaan?'

De moeder van Jesse knikt. Ze vertelt dat ze er net vandaan komt, maar dat het hok van Kobus leeg was, dat het deurtje open stond en Kobus nergens meer te bekennen was.

'Maar dat kan niet,' zegt Bo geschrokken. 'Kobus was er wel! Of zou iemand hem nu echt gestolen hebben?'

Ineens slaakt Bo een kreet en wijst naar de straat.

'Jesse hebt hem!' gilt ze.

De moeder van Jesse draait zich om. Ze ziet Jesse fietsen en hij is niet alleen. Naast hem loopt Kobus. Nog een beetje mank, maar met zijn staart fier in de lucht.

Ze slaat haar arm om de schouders van Bo en ze lachen allebei.

22

De vergissing

Jesse ziet zijn moeder aan komen lopen.

'Mam, mama, kijk eens wie ik heb gevonden. Je raadt nooit waar hij was. Het is allemaal de schuld van die stomme Bo.'

Zijn moeder bukt zich. Ze streelt voorzichtig de kop van de hond en bekijkt zijn wonden. Jesse vertelt wat hij heeft gedaan. Hoe hij de meisjes naar het asiel was gevolgd en hoe hij Kobus uit het hok heeft gered. Hij vertelt over Kiki en Bo.

'Ze hebben er vast veel geld voor gekregen. Moet je eens kijken wat ze met hem gedaan hebben!'

Jesse wijst op Kobus wond.

'Ik ga de politie bellen. Bo en Kiki krijgen vast een bekeuring voor dierenmishandeling. Misschien moeten ze wel naar de gevangenis. Nou, van mij mag het. Ik vind het net goed! Misschien moet Bo het land wel uit. Terug naar Madagaskar! Daar hoort ze en niet hier.'

De moeder van Jesse kijkt stomverbaasd naar haar zoon.

'Wat zeg je allemaal voor rare dingen. Daar klopt niets van, maar daar moeten we samen eens over praten. Eerst moet die arme Kobus eten en drinken. De mevrouw van het asiel heeft verteld dat hij helemaal niets wilde. Zo'n heimwee had hij. En als Bo er niet was geweest, dan hadden we hem misschien wel nooit teruggevonden. Hij had immers helemaal geen penning met zijn naam erop. Die gaan we morgen meteen kopen.'

Ze pakt de etensbak van Kobus en loopt naar de keukenkast.

Kobus wacht en kwispelt terwijl ze zachte woordjes spreekt. Jesse kijkt verbaasd naar zijn moeder.

Hij begrijpt niets van wat ze heeft gezegd. Ze heeft hem zeker niet goed verstaan.

'Nee hoor, mam. Het is heel anders hoor. Bo heeft helemaal niet geholpen. Zij is juist de schuld van alles.'

Maar zijn moeder zegt niets terug.

Kobus schrokt zijn eten naar binnen. Het water uit zijn drinkbak spat in het rond.

Jesse zit aan de keukentafel en kijkt vertederd naar Kobus. Hij zucht eens diep.

Zijn moeder komt naast hem zitten.

'Jesse, je moet me een heleboel uitleggen. Er zijn dingen die ik echt niet begrijp. Wat is er met jou en Bo allemaal gebeurd?'

Jesse staart naar het tafelkleed. Hij weet niet waar hij moet beginnen. Hij schaamt zich voor zijn gedrag, maar hij is ook woest op Bo. Dan biecht hij alles op: van de gymtas en de tekening op het bord en ook van het strafwerk. Zijn moeder luistert en onderbreekt Jesse niet één keer.

'Nou en toen begon Bo ons terug te pesten. Eerst was het nog niet zo erg. Ze had mijn bal weggepakt. En de honkbalhandschoen van Maarten, maar het ergste vond ik Kobus. Dat is gewoon ontzettend gemeen. Wie steelt er nou een hond en slaat die en…'

'Over Kobus praten we dadelijk,' onderbreekt zijn moeder hem.

'Eerst moeten we het over dat pesten hebben.'

Jesse knikt en buigt zijn hoofd.

Zijn moeder zucht en praat zacht.

'Wat moet Bo zich ongelukkig gevoeld hebben. Stel je zelf eens voor, Jesse, in een vreemd land met allemaal vreemde mensen. Je verstaat ze maar half. En dan word je nog gepest ook! Nee, dat had ik toch niet van jou gedacht. Ik ben echt verdrietig en teleurgesteld.'

Jesse zwijgt eerst. Hij weet dat zijn moeder gelijk heeft en hij schaamt zich.

'Maar Maarten begon en…'

Zijn moeder schudt haar hoofd.

'Nee, Jesse. Nou probeer je de schuld af te schuiven. Dan had jij maar niet mee moeten doen. Dan was je pas flink.'

Jesse wordt kwaad.

'Ik heb allang tegen Bo gezegd dat het me spijt. En we hebben van meester heel veel strafwerk – in het Frans nog wel – gekregen, maar dat stomme kind wil niets meer van me weten. Ze heeft een hekel aan me. En toen heeft ze Kobus ontvoerd en naar het asiel gebracht. Dat is pas supergemeen!'

Zijn moeder legt haar hand op zijn arm.

'Maar Jesse, wat je daar allemaal zegt dat klopt helemaal niet. Bo heeft Kobus niet ontvoerd. Ze heeft hem ook niet naar het asiel gebracht. Hoe kom je daar nou toch bij? Weet je wat Bo gedaan heeft?'

En dan vertelt Jesse's moeder dat Bo Kobus is gaan zoeken, omdat ze medelijden met hem had. Omdat ze hem juist wilde helpen.

Jesse weet niet goed wat hij moet zeggen. Hij voelt tranen in zijn ogen.

'Heeft Bo dat echt gedaan?' vraagt hij kleintjes. 'Maar dat kan niet, want ze haat me mama. Echt, ze haat me!'

Jesse veegt langs zijn ogen.

'Ze heeft het zelf gezegd en ze wil me nooit meer zien.'

Zijn moeder klopt Jesse zachtjes op zijn rug.

'Natuurlijk heeft ze dat gezegd, maar toen was ze vreselijk kwaad op je. En daarna is ze Kobus gaan zoeken. En weet je voor wie? Voor jou! Ik weet zeker dat ze allang niet meer boos is.'

Jesse snift na.

Zijn moeder legt haar hand op zijn schouder. 'Ik wil dat je naar Bo toegaat samen met Kobus. Hier heb ik nog een lekkere dikke reep chocolade met hazelnootjes. Neem die maar voor haar mee. Om te bedanken.'

23

Vrienden

Jesse belt aan bij het huis van Bo. Zijn hart klopt in zijn keel. Het liefst wil hij hard weghollen, maar zijn benen weigeren dienst. Hij bedenkt wat hij tegen haar moet zeggen, maar hij weet het niet. Kobus staat naast hem. Hij kwispelt als de buurvrouw de deur opendoet en naar hem lacht.

'Fijn Kobus terug,' zegt ze.

Ze aait Kobus voorzichtig over zijn rug. 'Hij gebotst tegen auto aan, hè?'

Jesse knikt en loopt naar binnen.

Bo zit televisie te kijken.

'Hai,' zegt hij. Bo kijkt verrast op als ze Jesse en Kobus ziet staan. Ze springt op en knielt naast Kobus op de grond. Ze klopt hem zachtjes op zijn hals.

'Hai Kobus. Fijn dat je er weer bent.'

Kobus duwt zijn snuit tegen haar wang. Ze aait hem voorzichtig over zijn kop. Kobus steekt een poot uit en legt hem op haar arm. Bo moet er om lachen.

'Het is goed, gekke hond. Hoe is het met je wonden?'

Kobus geeft haar een lik over haar wang. Bo lacht en veegt de natte zoen af.

Jesse trekt Kobus terug. 'Af, Kobus. Vooruit, af.'

De hond gaat braaf liggen.

'Hij wordt helemaal beter, zegt mijn moeder.

'Fijn,' antwoordt Bo kortaf. 'Gelukkig maar.'

Jesse loopt naar Bo en steekt zijn hand uit. 'Hier dit is voor jou.'

Hij steekt haar de reep chocolade toe. Bo neemt hem niet aan.

'Voor mij? Hoezo? Waarom?'

Jesse haalt zijn schouders op.

Bo snuift: 'Ik wil geen chocolade. En zeker niet van jou.'

Jesse legt de reep op tafel.

'Jij hebt Kobus voor me teruggevonden. Je hebt het verdiend. Bedankt. Ik ben heel erg stom geweest. Het spijt me echt heel erg, maar ik dacht dat jij Kobus...'

Bo loopt aarzelend naar hem toe.

'Dus je haat me niet?'

'Nee, natuurlijk niet,' mompelt Jesse. 'Ik heb erge spijt van alles. Het zal nooit meer gebeuren. Ik vind je helemaal niet stom. Je bent juist het slimste kind dat ik ken.'

Bo lacht onzeker terug. 'Bedoel je dat echt, of is dat ook maar een grapje?'

Jesse schudt zijn hoofd.

'Komt jij morgen na school bij mij?' vraagt Bo. 'Ik heeft een hut in de tuin, helemaal boven in de boom. Daar we kunt een geheim schuilplaats van maken.'

Jesse schrikt. Hij was de vernielde hut helemaal vergeten.

94

'Gaaf,' zegt hij. 'Kom, Kobus, we gaan naar huis.'
Ineens heeft hij haast. Kobus piept als hij gaat staan en hinkt een beetje.
Bo aait hem.
'Tot morgen dan, Bo,' zegt Jesse. 'En nog bedankt.'
Bo lacht breed, steekt haar hand op.
'See you, of nee, ik bedoel houdoe.'

Jesse loopt naar de schuur. Kobus volgt hem.
'Ik moet even iets regelen, Kobus. Blijf jij hier maar mooi even wachten. Ik ben zo terug.'
Kobus gaat braaf liggen. Het lijkt of hij zijn baasje begrijpt.
Jesse zoekt wat spullen bij elkaar. Hij sluipt naar de dikke beuk en grijpt de laaghangende tak. Even kijkt Jesse om zich heen en dan klimt hij omhoog.
De boomhut is erg vernield. Het lijkt wel of het gestormd heeft. Jesse legt de planken weer goed en slaat ze met grote spijkers aan elkaar. De tekeningen van Bo zijn niet meer te maken, maar Jesse heeft een paar posters van de zee meegebracht. Hij weet dat Bo daar van houdt. En nog één met een kudde wilde paarden erop.
Hij prikt ze voorzichtig met punaises in het hout. Dan trekt hij de kleden over de planken en maakt ze met spijkers vast.
Jesse kijkt tevreden rond.
'Als zij het nou ook maar mooi vindt.'
Dan kruipt hij naar buiten en laat zich voorzichtig omlaag glijden.

Hij springt uit de boom. Kobus ligt nog steeds braaf op hem te wachten. Jesse klopt hem op zijn rug.

'Kom Kobus, morgen loop ik samen met Bo naar school. En als Maarten of Jasper me uitlachen, geef ik er niets om. Dat kan me niets schelen, ook niet als ze zeggen dat ik verliefd ben op Bo. Bo is oké.'

Jesse krijgt een kleur als hij eraan denkt.

'We zijn voortaan de allerbeste vrienden, want Bo heeft jou gered.'

Jesse slaat zijn armen om de hals van Kobus en geeft hem een knuffel.

Bo zit aan tafel. Naast haar ligt de reep chocolade met dikke hazelnoten. Ze heeft een stukje chocola in haar mond en sabbelt tevreden. Bo schrijft een brief aan Patrique in Madagaskar.

Ze schrijft dat ze Patrique nog wel mist, net zoals het strand, de palmbomen en de zee.

'Ik mis je wel, maar gelukkig heb ik hier nu ook een nieuwe vriend. Jesse, heet hij. Hij kan niet zo hard lopen als jij, maar hij is wel leuk. Hij heeft rood haar met krullen, net als jij en hij heeft een hoofd vol sproeten. Samen hebben we een hut boven in de boom.'